DES ARCHITECTURES DE TERRE

OU

L'AVENIR D'UNE TRADITION MILLÉNAIRE

Centre Georges Pompidou

Centre de Création Industrielle

LE CATALOGUE

Conception et rédaction	Jean Dethier
Recherche iconographique	Catherine Zbinden
Coordination iconographique	Marcio Mazza, architecte
Mise en page	Hélène Chartier
Coordination	Danièle Wozny
Fabrication	Jacky Pouplard
Illustration de couverture	Dominique Appia
Photogravure en couleurs en coproduction avec	Interni, Gruppo editoriale Electa, Milan
Photogravure noir et blanc	France Photogravure, Lyon
Photocomposition	Bussière Arts Graphiques, Paris
Impression	Imprimerie Moderne du Lion, Paris

L'EXPOSITION

CONCEPTION ET RÉALISATION

Jean Dethier
Architecte

ÉQUIPE DE PRODUCTION

Assistante de production	Catherine Zbinden
Architectes d'opération	Dominique Pidance et Alain Le Balh
Recherches historiques	Ruth Eaton
Coordination iconographique	Marcio Mazza, architecte
Secrétariat de production	Nicole Latappy et Armelle Quilliard
Gestion administrative	Alice Brutin

COPRODUCTION

Centre National d'Art et de Culture Georges Pompidou
Centre de Création Industrielle (C.C.I.)

Fondation des Pays de France

Deutsches Architektur-Museum Stadt Frankfurt am Main

REPORTAGES PHOTOGRAPHIQUES SPÉCIAUX

En Égypte, en Algérie et aux États-Unis :
Jacques Évrard et Christine Bastin

Au Maroc : Christian Lignon

Au Mali et au Niger, avec l'aimable appui de la CEE :
Sergio Domian

Au Pérou : Ovidio Oré

DESSINS AQUARELLÉS D'ARCHITECTURE

Dominique Pidance et Alain Le Balh
et
Minh-Nan Chu Van, Marc Damême, Rachid Khayatey-Houssaini,
Gil Planson et Viviane Savornin
de l'Unité Pédagogique d'Architecture de Versailles
d'après les éléments fournis par les auteurs des projets

ŒUVRES

spécialement conçues et réalisées pour l'exposition
(par ordre alphabétique)

Patrice Alexandre, Paris
Dominique Appia, Genève
Pierre Baey, Pompignan
Vincent Creuzeau, Paris
Gisèle Deneumoustier, Bruxelles
Michel Jaffrennou, Paris
Anne Rochette assistée de Bruno Français, Paris
Théa Valckx, Amsterdam
Ricardo Wolfson, Londres

17 MAQUETTES GÉANTES

Conception générale de Jean Dethier
Conception opérationnelle de Dominique Pidance, Alain Le Balh et Sylviane Leprun
Réalisation de Gisèle Castanier et Isabelle Prieur
Construction par la société S.E.B.B., Paris, en collaboration avec Protebat et Protechim

MAQUETTES EN CÉRAMIQUE

Gisèle Deneumoustier

CONSULTANTS

Patrice Doat et Hugo Houben, Groupe CRATerre, Grenoble/Bruxelles
Karl-Heinz Striedter, Frobenius Institut, Francfort
Andy Crisp, Architecture and Design Committee, Australia Council
Jacques Liger-Belair, Agence de Coopération Culturelle et Technique, Paris
Jacques Hainard, Musée Ethnographique de Neuchâtel

FABRICATION

aux ateliers du Centre Pompidou (C.C.I.)

Régie : Stéphane Iscovesco et Didier Rizzo
Menuiserie : Claude Baleur et Jean-Claude Perrault
Peinture : Hervé Remiré et Pascal Dossat
Électricité : Philippe Fourrier et Azzedine Messahli

RELATIONS EXTÉRIEURES

Circulation internationale de l'exposition : Nicole Richy
Relations avec la presse : Marie Jo Poisson
Relations publiques : Ariane Diané

PRODUITS CULTURELS D'ACCOMPAGNEMENT DE L'EXPOSITION

UNE COLLECTION DE 90 PLANCHES
CONSTITUANT UNE VERSION RÉDUITE DE L'EXPOSITION

conçue par Jean Dethier

réalisée par le Centre Georges Pompidou (C.C.I.)

en coproduction avec
le Ministère des Relations Extérieures, Paris
le Ministère de la Coopération et du Développement, Paris
l'Agence de Coopération Culturelle et Technique, Paris
l'Organisation des Nations-Unies pour la Science, la Culture et l'Éducation (UNESCO)
la Fondation des Pays de France
et les Caisses Régionales du Crédit Agricole

UN CARNET DE 24 DIAPOSITIVES

textes et commentaires en français et en anglais
par
le Groupe CRATerre, Grenoble
l'Unité Pédagogique d'Architecture de Grenoble
Groupe Pisé Urbain, Lyon
Édition du Centre Georges Pompidou/CCI

UNE AFFICHE DE L'EXPOSITION

illustration originale de Dominique Appia

UN REPORTAGE CINÉMATOGRAPHIQUE :
« ARCHITECTURES DE TERRE »

un film de Jean Dethier
réalisé par Christian Quinson
coproduit par
le Centre Georges Pompidou, Paris
Antenne 2, Paris
SERIA, Paris
et Pauline Cheremetief de Mazières, Rabat
durée : 26 minutes (couleurs)

UN QUARTIER EXPÉRIMENTAL DE 40 LOGEMENTS BÂTIS EN TERRE

à l'initiative de Jean Dethier et du Centre Georges Pompidou (C.C.I.)
sous l'égide de l'EPIDA et du Plan Construction
promoteur : OPAC de l'Isère, Grenoble
localisation : Quartier des Fougères (commune de St-Bonnet)
Ville nouvelle de l'Isle d'Abeau (entre Grenoble et Lyon), France
urbaniste : Alain Leclerc (EPIDA)

Architectes retenus après concours :

J.-V. Berlottier, J.-J. Gaucher, A. Ducasse, D. Gorse, J. Puissant, P. Veron, M. Boisrobert,
D. Fourcade, J.-P. Loubes, A. Thomas, J.-P. Duval, Confino, Jauret, A. Ravereau, Rafanel,
Lentilleres, N. Widmer, F. Gallard, Jourda, Perraudin, U. Moch, O. Perreau-Hamburger,
J.-M. Savignat, G. Aymard, R. Chareyre, M. Goy, J.-L. Pagnier, Hamonic, J. Vérité.

Consultant technique : Groupe CRATerre, Grenoble
Coordinateur technique : Philippe Michel, Lyon
Début du chantier : Printemps 1982

ÉLOGE DE LA TERRE

Jacques Mullender

Le comportement instinctif de l'homme l'a conduit, depuis que la vie est apparue sur notre planète, à utiliser pour se protéger, telles les espèces animales, les abris créés par la nature. Il construisit plus tard ses architectures à partir des matériaux qui l'environnaient, faisant appel à une époque très proche de nous à leur transport et à leur fabrication industrielle. L'architecture acquit ainsi, au bout de cette évolution, la liberté de ses formes et de ses procédés de construction, mais cette liberté dans la création induisit une dépendance économique vis-à-vis des sources d'énergie et du système productif des composants de la construction, éclaté entre de nombreux participants.

Le Centre Georges Pompidou, au cours de ces dernières années, a évoqué le passé, le présent et l'avenir des maisons de bois, des habitats mobiles (de la yourte afghane aux tentes sahariennes et à la caravane), de l'utilisation du fer et de la fonte par les ingénieurs-constructeurs. Il a montré l'interpénétration de l'acier, du verre et du béton dans les structures, les façades et les planchers des habitats contemporains.

Aujourd'hui, il évoque la terre crue, séchée à l'air ou au soleil, dont les noms de banco, pisé, adobe, brique de boue, correspondent à la variété des techniques et des savoir-faire ancestraux utilisés. La terre crue se différencie de la brique cuite dont l'élaboration suppose du bois, des énergies fossiles ou de l'électricité. Bien qu'issue du même matériau, la brique cuite a supplanté la terre crue, au cours des siècles et sous toutes les latitudes, grâce à ses qualités de solidité, de résistance aux intempéries, de souplesse dans ses utilisations et, depuis 150 ans, à son industrialisation.

Alors, pourquoi faire l'éloge de la terre crue ? Est-ce seulement pour exhiber, au nom de l'histoire ou de l'exotisme, quelques monuments prestigieux à la beauté majestueuse, aux murs épais et aux formes pleines, propices à recevoir quelques prouesses de l'art décoratif ? Ces palais et ces mosquées, symboles du pouvoir politique ou religieux, n'ont pu être construits et entretenus à travers les siècles qu'au prix du travail des sujets ou des fidèles, et il aurait sans doute convenu de montrer aussi des maisons plus humbles, édifiées par autoconstruction ou grâce à une solidarité villageoise qui tombe en désuétude, mais dont les pays en développement n'acceptent pas qu'elles contribuent à l'image de marque à laquelle ils aspirent. Il y a en effet un divorce entre l'architecture du vécu et l'architecture du paraître et c'est bien cela la problématique abordée par la démarche suivie par le CCI.

La terre crue a été utilisée sur tous les continents, y compris en France et dans de nombreux pays européens. Elle a représenté souvent la maison du pauvre ou l'habitat de la pénurie. Une certaine appréciation du progrès économique et social l'a fait écarter progressivement au profit de matériaux plus coûteux en énergie, aux apparences ou aux significations plus modernes. L'habitat s'est peu à peu normalisé à travers le monde. La spécificité des villes et des villages, composante fondamentale d'une identité culturelle faite de modes de vivre et de penser, de patrimoine et de savoir-faire, de réalités et de rêves, s'est estompée et a fait place à des « modèles », pris au double sens d'« objets capables d'être reproduits » ou d'« exemples à suivre ». Le style international a gagné du terrain.

Or depuis quelques années, un renouveau technologique est apparu dans l'utilisation de la terre crue comme matériau de construction. Il fut entrepris il y a une trentaine d'années, à l'occasion de l'édification, en Asie comme en Europe, de gigantesques barrages-poids en terre compactée, destinés à la production hydroélectrique ou à la retenue des eaux d'irrigation. Cette réhabilitation s'est trouvée encouragée par les récentes crises pétrolières. En effet, la terre crue, matériau local limitant de ce fait les transports pondéreux, ne fait appel pour sa mise en œuvre qu'à une énergie limitée, en dehors du travail des hommes... La maison de terre limite considérablement les échanges calorifiques, reste de ce fait fraîche en été et chaude en hiver, et permet, par son association à des énergies douces, solaires en particulier, de se rapprocher d'un bilan thermique équilibré. Des pays à haute technicité, grâce au travail des chercheurs, scientifiques et architectes, font progresser l'approche de procédés nouveaux d'amalgame et de façonnement des terres, s'efforçant en particulier de renforcer la protection contre l'humidité au niveau des fondations comme du toit.

Des réalisations exemplaires, et souvent cossues, dépassant largement l'échelle de prototype, se multiplient aux États-Unis, et les organismes spécialisés des Nations Unies comme les agences de coopération multilatérales ou bilatérales encouragent des programmes expérimentaux dans des pays en développement, et plus spécialement dans les pays les moins avancés, susceptibles d'apporter à un habitat populaire, rural autant qu'urbain, des solutions économiques. Ces deux démarches s'appuient sur un renouveau de la tradition et font appel aux « racines », celles par exemple de l'habitat Pueblo du Mexique pour les États-Unis, celles de la voûte nubienne réhabilitée après la Deuxième Guerre mondiale par l'architecte égyptien Hassan Fathy dans son expérience de Gourna.

La terre crue fut souvent le matériau de base du génie constructeur qui inspira le patrimoine ancestral. Les sociétés occidentales, à travers le fait colonial ou l'emprise économique qu'elles ont exercée depuis un siècle, ont induit des modèles culturels qui, dans le domaine de l'habitat, se sont « illustrés » souvent par l'usage du ciment et de la tôle. Les formes ont été bousculées, mais aussi les modes de vivre, et les maisons ont parfois acquis une valeur d'échange s'ajoutant à la valeur d'usage traditionnelle. Il en est résulté un affaiblissement des liens de solidarité existant au niveau du village ou de l'îlot urbain qui, dans le domaine de la contruction, constituait l'un des facteurs indispensables pour l'utilisation et la mise en œuvre des matériaux locaux.

L'exposition « Des architectures de terre » pose le problème du poids respectif des traditions et de la modernité, aussitôt qu'au-delà de leurs techniques, maîtrisables plus ou moins aisément d'ailleurs, interviennent les préjugés et les pesanteurs sociologiques. A tort ou à raison, la terre crue dans l'habitat individuel s'est identifiée à une architecture de pénurie et de pauvreté, alors que les matériaux modernes évoquaient l'espoir ou le mirage de la richesse, donc du développement.

Ces connotations sont-elles réversibles, et par quelles voies ? Le dépouillement personnel du Mahatmat Gandhi a-t-il, au-delà du succès de l'indépendance politique, creusé suffisamment profond le sillon d'une nouvelle voie, choisie et non subie, pour la croissance et le bien-être de l'Inde ? Quelles seront les conséquences d'une stricte observance des règles ancestrales et rigides de l'Islam Chiite ? Ces deux exemples extrêmes d'une volonté cependant endogène des pays considérés et appuyés pendant des années ou des mois par un énorme consensus populaire, laissent craindre que les capacités de manœuvre d'une action externe, bien que technologiquement incontestable, soient très étroites. Car au plan de l'habitat, l'évolution reste liée au comportement individuel, dans un contexte constitué par la misère et les catastrophes naturelles, l'expansion démographique et le conflit des générations, où l'apparence d'un progrès économique et social semble plus importante que le retour aux traditions pour restaurer la dignité et forger un homme nouveau. La dynamique que veulent créer des architectes éclairés et des organisations internationales au cœur généreux se fonde sur les effets possibles d'un autodéveloppement des techniques ancestrales rénovées, dont la formation des jeunes serait le moteur qu'il convient de lancer. Mao disait : « Il vaut mieux apprendre à sécher que de recevoir du poisson séché ». Prononcer l'éloge de la terre c'est, comme le faisait Érasme durant la Renaissance à propos de la folie, aller avec passion à contre-courant des idées reçues et des habitudes, et proposer une nouvelle aventure. Le succès d'une telle démarche est lié à l'appropriation qu'en feront les utilisateurs potentiels. On ne peut pour l'instant que rendre hommage aux inventeurs et aux promoteurs d'un renouveau des techniques de la terre. Mais réintégrer ces techniques sous leur forme contemporaine dans l'identité culturelle des communautés concernées ne dépend que d'elles-mêmes.

Jacques Mullender
Directeur du Centre de
Création Industrielle

LE GÉNIE DE LA TERRE
Jean Dethier

AU COMMENCEMENT ÉTAIT LA TERRE

Depuis près de 10 000 ans que les hommes bâtissent des villes, la terre crue a été et demeure, à travers les traditions historiques et populaires, un des principaux matériaux de construction utilisés sur notre planète. C'est ainsi que plus d'un tiers des habitants de notre planète vit aujourd'hui dans des habitats en terre. Dès l'antiquité, on fait un usage très abondant de ce matériau en Mésopotamie ou dans l'Égypte des Pharaons. En Europe, en Afrique et au Moyen-Orient, les civilisations romaines puis musulmanes et, en Asie, celles de l'Indus aussi bien que celles des moines bouddhistes ou des empereurs de Chine bâtissent en terre comme l'Europe au Moyen Age ou, simultanément, les Indiens en Amérique du Nord, les Toltèques ou les Aztèques au Mexique ou les Mochica dans les Andes. Sur ces traditions, la conquête espagnole des Amériques vient greffer les techniques européennes de l'architecture de terre tandis qu'en Afrique la maîtrise en est assurée dans des cultures aussi diverses que celles des Berbères ou des Dogons, des Achantis, des Bamilékés ou des Haoussas, dans les royaumes d'Ifé et du Dahomey, dans les empires du Ghana et du Mali. C'est en terre crue que les civilisations les plus diverses ont édifié des villes entières, dont il ne reste, à travers le monde, parfois que des vestiges archéologiques : de Jéricho, bâtie il y a quelque 10 000 ans et sans doute la première ville de l'histoire, à Catal Höyük en Turquie, d'Harapa et Mohendjo-Daro au Pakistan à Akhlet-Aton en Égypte, de Chan-Chan au Pérou à la célèbre Babylone en Irak, de Madinat-Al-Zahra aux portes de Cordoue, en Espagne, à Khirokifia en Crète. Sur ces bases antiques se sont parfois épanouies des villes modernes où la construction en terre est restée présente, telle Lugdunum, capitale de la Gaule romaine devenue Lyon, la troisième ville de France. Nées de la conquête espagnole des Amériques, bien des villes témoignent encore de l'usage urbain de la terre comme Santa Fe, capitale de l'État du Nouveau-Mexique aux États-Unis ou le centre de Bogota, capitale de la Colombie. Et d'Afrique au Moyen-Orient, c'est une étonnante continuité de villes en terre : Kano au Nigeria, Agadès au Niger, Tombouctou au Mali, Oualata en Mauritanie, Marrakech au Maroc, Adrar en Algérie, Ghadamès en Libye, Sadaa au Yémen du Nord, Shibam au Yémen du Sud, Yazd en Iran.

En dehors des villes, les cultures rurales ont perpétué des traditions de l'architecture de terre d'une telle diversité que l'inventaire en serait fastidieux. Paradoxalement, nous connaissons mieux celles de l'Asie, de l'Afrique, du Moyen-Orient ou de l'Amérique latine, que celles de l'Occident. Pourtant, des villages en terre existent aux États-Unis et surtout, par milliers, du nord au sud de l'Europe, aussi bien dans les régions sèches de l'Espagne et de l'Italie que dans les contrées pluvieuses de l'Angleterre et de l'Allemagne, du Danemark ou de la Suède. En France, où cette tradition représente au moins 15 % du patrimoine rural actuel, on en trouve couramment les témoignages autour des villes de Lyon, Reims, Grenoble, Toulouse, Rennes et Avignon et, non loin de Paris, autour de Chartres.

BABEL

Si, dans ces multiples établissements humains, la terre a servi à construire habitations urbaines et rurales, ce même matériau a aussi été utilisé depuis cent siècles pour élever les monuments les plus ambitieux et les plus prestigieux, les plus vastes et les plus utiles au développement matériel et spirituel des communautés : entrepôts et aqueducs, ziggourats et pyramides, monastères, églises ou mosquées rivalisent pour exploiter au mieux les ressources de ce matériau qui semble n'avoir guère bridé la mégalomanie créatrice des hommes. C'est en effet en terre crue que l'on a édifié au VIIe siècle avant Jésus-Christ la célèbre Tour de Babel dont le septième niveau culminait à 90 mètres de haut : le premier gratte-ciel des hommes était en terre ! S'il n'a pas survécu aux chaos sociaux dont cette tour demeure le symbole, par contre, la fameuse Muraille de Chine construite notamment en terre sur de longs tronçons, à partir du IIIe siècle avant notre ère, témoigne aujourd'hui encore avec bien d'autres vestiges, de la solidité que ce matériau peut acquérir. C'est pourquoi tant de villes à travers le monde ont assuré leur défense en s'entourant de murs d'enceinte en terre : de Jéricho — une fois encore — à la ville nouvelle de Tiznit édifiée au Maroc en 1882 et sans doute la dernière cité des temps modernes à s'être protégée de murailles défensives.

Ces vertus de solidité et de résistance de la terre, les stratèges de bien des armées les ont exploitées, des temps les plus anciens à nos jours. L'historien romain Pline l'Ancien rapporte qu'Hannibal le fit en Espagne vers 219 avant Jésus-Christ. Et l'armée américaine utilisa pendant la Deuxième Guerre mondiale les ressources du génie militaire pour construire en terre crue des barrages, des bâtiments et des pistes d'aviation !

UN SAVOIR-FAIRE SAVANT ET POPULAIRE

Les « grands » de ce monde ont aussi apprécié les qualités architecturales de la terre crue depuis l'antiquité jusqu'à nos jours (1).

Mais la construction en terre n'implique en aucune façon des usages restrictifs à des classes sociales particulières : traditionnellement, tout le monde fait usage du même matériau de base. De ce fait, l'immense majorité des bâtiments construits furent et restent des maisons d'habitation rurales ou urbaines. Ainsi, s'est développé un savoir-faire, à la fois savant et populaire, qui s'est traduit par une étonnante variété de fonctions et de formes à travers lesquelles s'expriment les spécificités culturelles des bâtisseurs. Dans les contrées froides comme dans les régions les plus chaudes, de la Scandinavie à l'Équateur et jusqu'au sud de l'Afrique, ils ont adapté la construction en terre aux contraintes climatiques les plus diverses. Bien utilisé, ce matériau offre partout un confort thermique très apprécié qui assure une régulation naturelle et optimale entre les températures extérieures et intérieures.

MODES DE CONSTRUCTION

On a recensé à travers le monde une vingtaine de méthodes traditionnelles de construction utilisant les ressources de la terre crue. En plus de diverses variantes régionales, on distingue toutefois deux procédés principaux. D'une part, le *pisé de terre* (mot français apparu à Lyon en 1562 et d'origine latine) qui désigne le principe de construction de murs épais (50 cm minimum) en damant la terre dans des coffrages latéraux qu'on déplace au fur et à mesure de l'avancement du travail.

D'autre part, la construction en *adobe* (mot arabe et berbère assimilé en espagnol et transmis aux Amériques où il est adopté en anglais) qui désigne des briques de terre crue séchées au soleil (après leur mise en forme dans des moules) puis utilisées de façon classique pour édifier des murs ou de façon plus élaborée pour réaliser (avec ou sans coffrages) des voûtes et des coupoles.

Traditionnellement, dans les deux cas, la terre est soigneusement choisie en fonction de sa nature et de sa composition granuleuse; pour l'adobe, elle est mélangée à de l'eau et à des fibres végétales (de la paille hachée le plus souvent) afin de former un ensemble cohérent. Pour remédier au fait que les constructions traditionnelles en terre craignent l'érosion des eaux, des parades souvent très efficaces ont été élaborées depuis bien longtemps. Le génie populaire anglais exprime ce bon sens traditionnel en une seule formule : « pour durer des siècles, il suffit aux maisons de terre d'avoir un bon chapeau et de bonnes bottes ». En clair : une toiture débordante pour protéger les murs des pluies et des fondations en pierre pour éviter les méfaits de l'érosion des murs par les eaux de ruissellement ou leur humidité par capillarité. Il y a 6 000 ans en Mésopotamie, on associait déjà l'usage des briques de terre crue à celui de produits hydrofuges bitumineux. Comme chez les Aztèques plus tard, on y avait généralisé — pour les grands bâtiments publics, les temples et les palais, seulement — l'usage de parements extérieurs qui avaient une double vocation : fonctionnelle, en protégeant la terre crue des pluies, et ornementale en jouant avec les motifs géométriques ou figuratifs des pierres, des briques cuites ou des cônes en céramique vernissée qui étaient encastrés dans la maçonnerie au fur et à mesure de l'élévation des murs de terre extérieurs.

SPIRITUALITÉ ET SENSUALITÉ

Pour les constructions plus modestes de l'habitat, les murs de terre sont le plus souvent protégés par des enduits, à base de terre eux aussi. Ce traitement de l'apparence finale du bâtiment — traditionnellement renouvelé chaque année comme un rituel après la saison des pluies — peut varier à l'infini : la créativité de chacun confère aux murs leur richesse visuelle, tactile et sensuelle. Ainsi les méthodes d'utilisation de la terre permettent-elles de ne pas dissocier la matérialité et la spiritualité de l'acte de bâtir car ce matériau autorise la simultanéité et la synthèse des actions constructives et artistiques. Le plaisir intense que prennent les civilisations traditionnelles à manipuler l'ornement — comme autant de signes d'un élan vital — se traduit dans le génie créatif, artistique et décoratif des architectures de terre : gravé dans les murs ou appliqué en relief, il y est tour à tour abstrait, gestuel, géométrique, symbolique ou figuratif.

Le modelage de la terre permet une réelle diversité de langages plastiques, où s'expriment les pulsions créatives les plus profondes. Dans certaines ethnies d'Afrique ou du Moyen-Orient, c'est dans une architecture sculpturale de terre crue que s'épanouit la volupté des rondeurs, l'érotisme et la sensualité des formes. La terre — l'élément le plus fécond de notre planète — y devient un symbole sexuel. En d'autres lieux, la terre exprime des valeurs différentes où prévaut une architecture plus austère ou plus virile : l'érection des maisons et des minarets y relève du « tour de force » en s'élevant couramment jusqu'à huit étages ou une trentaine de mètres de hauteur.

LE CHOC INDUSTRIEL

A l'ère moderne, les architectures de terre vont connaître des sorts bien différents selon l'évolution économique et démographique des continents. Dans les pays pré-industriels du Tiers monde, elles continuent à être largement utilisées, là où elles

---

(1) Parmi les innombrables palais édifiés en tout ou partie avec de la terre crue par les puissants de ce monde, on peut notamment citer le palais du roi Minos à Cnossos en Crète (2000 AC), le palais des Gouverneurs à Mari en Mésopotamie (1900 AC), celui du pharaon Aménophis III à Aklet-Aton près de Thèbes (1400 AC) et les vestiges du Raqchi au Pérou (1450), le Palais el Badi à Marrakech (1578) et ceux du Dalaï-Lama au Thibet et de l'émir de Daura au Nigeria (1780), le Palais des Gouverneurs à Santa Fe aux États-Unis (1609) ou plus récemment (1980) dans ce même pays, la résidence d'été du magnat américain du bois à Taos.

existaient traditionnellement, car la pauvreté ne permet guère d'autre choix. Par ailleurs, les populations rurales ou isolées y sont majoritaires et l'expansion considérable du nombre des habitants y impose un recours essentiel à l'autoconstruction avec les matériaux locaux disponibles. Ainsi, malgré des régressions locales parfois sensibles dans la pratique de la construction en terre, on peut estimer que — globalement — dans le Tiers monde, elle semble au moins stationnaire, sinon en augmentation.

Ce n'est plus le cas dans les pays récemment enrichis par l'exploitation pétrolière où elle tend subitement à disparaître en faveur de la copie effrénée des stéréotypes architecturaux et des technologies massivement importées d'Occident. Aux États-Unis, les traditions indiennes et espagnoles de la construction en adobe propres au Sud-Ouest y ont été très vivaces jusqu'au XIXe siècle aussi bien au Nouveau-Mexique, en Californie que dans divers états riverains; et elles y ont survécu, parfois de façon inattendue, aux processus d'industrialisation. A plusieurs reprises, de 1890 à 1940, ces procédés constructifs traditionnels donneront lieu à des « revivals » stylistiques — parfois authentiques, parfois parodiques — qui en assureront la pérennité jusqu'à la crise énergétique de 1973. Celle-ci va entraîner une véritable renaissance de l'architecture en terre, surtout dans l'État du Nouveau-Mexique.

En Europe, la pratique de la construction en terre dans les villes — comme par exemple à Lyon, en France — se maintient jusqu'à la fin du XIXe siècle aussi bien pour les classes ouvrières que pour la bourgeoisie. Dans les campagnes cette pratique se prolonge très couramment jusqu'à la Deuxième Guerre mondiale. C'est cette même tradition que les colons européens transposent en Australie où l'usage du pisé et de l'adobe apparaît au début du XIXe siècle. Ces techniques y seront largement appliquées et développées au siècle suivant par de nombreuses recherches et perfectionnements techniques.

RATIONALISATION

Mais, en Australie en 1823, comme aux États-Unis en 1806, au Danemark, en Allemagne ou en Italie dès 1790, c'est la publication partielle des travaux et des textes de l'architecte français François Cointeraux, né à Lyon en 1740, qui déclanche l'intérêt pour une architecture vraiment moderne en terre crue. Pendant la Révolution Française de 1789, il invente le « Nouveau Pisé » (2). Cette rationalisation des traditions ancestrales et populaires de sa région, il veut la mettre au service de la nouvelle société qui s'instaure en France, pour répondre à ses besoins. Avec ses techniques nouvelles de construction en terre, il conçoit aussi bien des maisons urbaines et rurales adaptées aux diverses classes sociales que

des bâtiments propres au développement économique du pays : des exploitations agricoles aux manufactures de l'ère industrielle. Pour lui « l'art précieux du pisé est pour une nation éclairée un moyen sûr de faire fleurir ses campagnes, son commerce et son industrie ». Pour faire connaître et adopter ses idées, Cointeraux déploie des efforts considérables. Il éditera plus de 50 ouvrages en 22 ans où, de façon polémique, il justifie ses choix technologiques pour la société nouvelle.

COINTERAUX-FATHY : MÊME COMBAT

Par tous les moyens, Cointeraux essaie de convaincre et lutte contre les préjugés relatifs aux architectures de terre. C'est un combat similaire que l'architecte égyptien, Hassan Fathy, entame en 1946, soit 116 ans après la mort de François Cointeraux. La vocation et la vie de ces deux hommes est d'une similitude frappante : dans leur pays respectif, leur action accompagne les débuts de l'ère industrielle.

Tous deux consacrent inlassablement leur longue vie à la défense et à l'illustration d'architectures dont les technologies sont initialement inspirées par le savoir-faire et le génie du lieu propres aux traditions populaires qu'ils cherchent à revivifier et rationaliser. Pour promouvoir leur vision de réformateurs sociaux, ils se feront polémistes et écrivains, allant tous deux jusqu'à rédiger des pièces de théâtre militant. L'un fonde à Grenoble puis à Paris des écoles d'architecture, l'autre au Caire, un Institut International de Recherche sur les Technologies Appropriées. Tous les deux bénéficient un temps de l'aide d'aristocrates éclairés, le Duc de Charost et L'Agha Khan.

S'ils n'ont pas eu l'occasion de construire beaucoup — il ne reste en 1981 que peu de traces significatives de leur œuvre bâtie — pourtant tous deux ont été sollicités hors de leur pays pour l'exemplarité de leur architecture : l'un en Angleterre, l'autre aux États-Unis en 1981. C'est à l'étranger d'ailleurs qu'ils font école et que leurs disciples élargissent la diffusion et l'impact de leurs idées. S'il est un dénominateur commun entre ces deux pionniers d'Occident et du Tiers monde, c'est le combat incessant mené contre les préjugés à l'égard de la construction en terre et l'incompréhension qu'ils ont souvent subie de la part de leurs contemporains, en particulier de la classe politique.

PRÉJUGÉS

A la base d'une pyramide millénaire bâtie en terre crue près du Caire par le Roi Asydis se trouve encore cette inscription : « Ne me méprise pas en me comparant aux pyramides de pierre : je suis autant au-dessus d'elles que Jupiter est au-dessus des autres dieux, car j'ai été bâtie en briques faites avec le limon du fond du lac. » Depuis lors, les préjugés hostiles à la terre ont survécu en se diversifiant : on prétend parfois ces architectures pauvres ou fragiles, archaïques ou sommaires.

---

(2) Le « Nouveau Pisé » inventé par Cointeraux désigne des briques de terre crue compressées grâce à une presse mécanique qu'il fait breveter sous le nom de « la Crécise ». Ces briques pouvant avoir une finition très soignée et une taille importante, il les appelle des « pierres factices ».

L'analyse sereine des témoignages existant à travers le monde prouve souvent l'inverse. L'architecture de terre est crédible et viable : elle a même beaucoup d'atouts pour l'avenir. Toutefois, certaines opinions restrictives sont parfois fondées sur des faiblesses réelles de ce type de construction traditionnelle : ainsi, la terre craint l'eau qui peut effectivement porter atteinte aux bâtiments. Si diverses solutions existent depuis longtemps pour parer à ce danger (tel qu'en témoigne par exemple l'abondant patrimoine immobilier en terre existant dans des pays aussi pluvieux que la France ou l'Angleterre), les progrès scientifiques et techniques modernes ont permis de mettre au point bien d'autres procédés efficaces. Ils visent notamment à utiliser une terre « stabilisée » en y mélangeant en faible proportion divers produits (résidus bitumineux, ciment, etc.) qui améliorent considérablement la résistance et l'imperméabilité du matériau. Des machines simples, manuelles, mécaniques ou hydrauliques permettent désormais de produire en petite ou grande série des briques de terre beaucoup plus solides que celles anciennement tassées à la main dans un moule sommaire. La paille en tant qu'armature est supprimée et permet ainsi une amélioration décisive sur le plan de l'hygiène sanitaire en éliminant les refuges possibles des insectes et microbes.

Les études modernes de composition des sols permettent maintenant de vérifier scientifiquement les anciennes intuitions des bâtisseurs et surtout d'améliorer les choix et les dosages des composants. Les techniques du pisé ont été rationalisées, elles aussi, notamment en adoptant le compactage pneumatique de la terre, beaucoup plus puissant et rapide que le fastidieux travail de damage manuel. Ainsi tend-on à associer au mieux les vertus des principes traditionnels et les acquis de la modernité. D'autres perfectionnements sont en cours au Pérou et aux États-Unis : ils visent, entre autres, à concevoir des systèmes constructifs en terre permettant de parer aux risques dus aux séismes.

BLOCAGES

Si les anciennes réticences à l'égard de la terre n'ont désormais quasi plus de raison d'être sur le plan technique et matériel, par contre, il demeure encore de multiples résistances de nature économique, psychologique et culturelle, institutionnelle ou politique. Tous ces blocages ne sont pas innocents : certains préjugés sont parfois savamment entretenus, parce que tout le monde semble-t-il n'estime pas avoir intérêt à ce que ces systèmes économiques soient développés. Certaines puissances industrielles ou multi-nationales produisant des matériaux de construction, ou certains bureaux d'études qui en assurent l'usage massif, cherchent parfois à jeter (ou entretenir) le discrédit sur la terre pour protéger leurs marchés. En privilégiant depuis plus d'un demi-siècle l'utilisation dominante du ciment, de l'acier, de l'aluminium et les dérivés des produits pétrochimiques, l'architecture contemporaine orthodoxe a favorisé les monopoles industriels qui, pour exploiter ces marchés, raisonnent en termes d'installations géantes de production dont le caractère dévoreur d'énergies et polluant est notoire.

A l'instar de la Chine qui a su se doter d'un réseau de 3 000 mini-cimenteries, réparties dans presque toutes les communes et assurant les deux tiers de la production nationale, l'Inde a récemment voulu adopter un plan similaire de décentralisation industrielle en 100 mini-cimenteries qui, selon les propos tenus par Georges Fernandes, ministre de l'industrie, « a été saboté par les intérêts du gros capital » (3). Cet handicap dû à la primauté de l'économique sur le politique a donc enrayé cette tentative de démocratisation d'un matériau par le biais d'une régionalisation. De même, en Tanzanie comme dans de nombreux pays du Tiers monde, le ciment demeure 2 à 3 fois plus cher dans l'arrière-pays que dans la ville où il est produit. A la Jamaïque, 60 % du coût du ciment ne concerne que les frais des énergies importées pour assurer la production « locale » du ciment. Ainsi ces contraintes liées à une technologie moderne lourde empêchent-elles de trouver même un début de solution réaliste au lancinant problème de l'habitat minimal dans le Tiers monde où le déficit en logements hyper-économiques est estimé au nombre astronomique de 500 millions d'unités pour les 20 prochaines années.

FINANCEMENTS

Mais pour aider les pays démunis à vaincre leur difficultés économiques, il existe désormais diverses banques dites de développement. Vu la nature de ces institutions internationales, on pourrait espérer de leur part un réalisme opérationnel face à de tels défis de notre temps. Hélas, dans le domaine-clef de la production des matériaux de construction, une récente enquête (4) révèle que « pratiquement tous les financements et prêts n'ont concerné que des cimenteries » lourdes. Certains organismes d'aide font leur autocritique sur ce point : le *Fonds Européen de Développement* reconnaît avoir trop recouru en Afrique aux matériaux chers à haute technologie tels que l'acier et le ciment. Il a depuis expérimenté avec succès des modes de construction faisant notamment appel à la terre crue, comme pour l'Hôpital de Mopti au Mali. D'autres institutions, et notamment la *Banque Mondiale,* semblent parfois en contradiction avec elles-mêmes. En effet, si la doctrine de la *Banque Mondiale* l'a amenée progressivement à encourager à juste titre les projets d'habitat en autoconstruction et à satisfaire en priorité les besoins essentiels des populations dans le Tiers monde, certains observateurs estiment par contre que l'on « chercherait en vain la moindre évidence de prêts destinés à des recherches ou productions axées sur des technologies alternatives relatives aux matériaux

---

(3) Cité par Anil Agarwal dans son ouvrage *Bâtir en terre : le potentiel des matériaux à base de terre pour l'habitat du Tiers monde,* édité en 1981 par Earthscan à Londres.

(4) Stuart Donelson, Jorge E, Hardoy et Susana Schkolnick, *Aid for Human Settlements;* rapport publié à Londres en 1978 par l'International Institute for Environment and Development.

de construction » (5). Ainsi, ces options économiques tendent-elles à entraîner un phénomène majeur de notre temps : l'appauvrissement des pauvres et l'enrichissement des riches. Ces méfaits de la planification sont souvent la résultante d'un optimisme exagéré devant les seules ressources de la technologie lourde, sophistiquée et chère, propre à l'Occident. Elles sont dues aussi à une approche des problèmes où généralement les dimensions culturelles ne sont pas prises en compte. Mais certaines de ces institutions de développement semblent avoir pris conscience récemment de la puissance déterminante de divers facteurs inquantifiables. La violence de la révolution à caractère culturel survenue en Iran depuis 1980, et ses répercussions internationales, ont sans doute amené des puissances aussi considérables que la *Banque Mondiale* ou l'Arabie Saoudite à réajuster leurs stratégies en y incluant désormais plus de considérations d'ordre culturel. Est-ce un hasard si ces deux géants ont tout récemment commandité des recherches sur le patrimoine architectural en terre crue dont ils n'avaient que faire il y a peu ?

LE PARADOXE DE LA CORDE A LINGE

Les blocages mentaux évoqués, maintenant en régression, n'existent pas qu'au cœur des institutions économiques. Ils persistent par îlots chez nombre de « culturels » : bien des architectes — a fortiori de nombreux ingénieurs — ricanent encore quand on leur parle de construire en terre crue : on ne leur en a jamais parlé durant leurs études. Beaucoup d'entre eux sont, comme la plupart des ingénieurs, rémunérés au pourcentage du coût des travaux; est-ce la meilleure façon d'encourager la recherche d'alternatives vraiment économiques ? De plus, leurs organismes de tutelle, leurs compagnies d'assurance professionnelle ou les centres scientifiques et techniques du bâtiment dont ils appliquent les normes ont souvent une telle arrogance à l'égard des réalités sociales quotidiennes de nos contemporains que la terre, l'adobe ou le pisé ne figurent souvent même pas sur leurs listes de matériaux de construction homologués alors que plus du tiers de l'humanité les utilisent et y vivent, même en Occident !

Mais, là aussi, une évolution se manifeste et le carcan technocratique se desserre progressivement. Les désillusions dues aux échecs si fréquents des programmes dits de développement entraînent plus de réalisme et de modestie. Ainsi il était courant, récemment encore, d'entendre dire que le développement agricole du Tiers monde, essentiel tout simplement à la survie de l'espèce humaine, devait faire l'objet d'une urgente mécanisation maximale. Or, la conférence de l'ONU tenue à Nairobi en 1981 sur les énergies renouvelables a révélé que cette agriculture était encore dépendante à 92 % des animaux de trait. Au mieux, cette progression passera-t-elle en l'an 2000 à 80 %. Ainsi le secours des tracteurs automobiles apparaît-il dérisoire par rapport au caractère

fondamental des 400 millions d'animaux indispensables aujourd'hui. Lutter contre la famine, le gaspillage et l'énergie chère, c'est aussi prendre ce type de réalité en compte. Il en est de même pour la construction en terre. Il est tout simplement illusoire ou malhonnête de prétendre que l'on pourra se passer des matériaux traditionnels élémentaires, si souvent oubliés dans la planification et la comptabilité économique.

Il est vrai que, paradoxalement, c'est souvent ce qui est vraiment économique et efficient pour la société qui échappe aux calculs orthodoxes du « Produit National Brut ». L'architecte Steve Baer évoque le « paradoxe de la corde à linge » car, quand il fait sécher son linge au soleil, l'économie d'énergie effective qui en résulte n'est pas prise en compte alors que ceux qui utilisent une machine à séchage électrique sont sensés participer à la comptabilité du « bien-être matériel » du pays ! Il en est de même avec des millions de familles qui, chaque année, construisent elles-mêmes leur habitat en terre : on les ignore car on ne compte que ceux qui consomment selon les normes industrielles de production.

DES CHOIX POLITIQUES

C'est par rapport à ces mentalités et pratiques désormais déraisonnables que des choix politiques s'imposent car ils peuvent jouer un rôle d'entraînement. On l'a vu récemment à propos des choix relatifs à l'énergie solaire : les options politiques en amont peuvent osciller entre des actions timorées et des programmes ambitieux. Dans le contexte d'une stimulation gouvernementale, les situations peuvent se débloquer rapidement. En Angleterre, il n'existait aucune entreprise de chauffage solaire en 1970, mais, huit ans plus tard, on en comptait déjà 70. En France, en 1981, il n'existe qu'une seule petite entreprise qui cherche à promouvoir depuis un an la construction d'habitations en terre (6), qu'une seule école d'architecture où ce matériau fait l'objet d'études permanentes depuis 1979 (7), et qu'une seule firme qui fabrique des briques en terre non cuites depuis 1981 (8). En France, comme dans de nombreux pays, on a laissé disparaître, sans relais, les milliers d'ouvriers spécialisés il y a 40 ans encore dans la construction en « pisé de terre ».

Dans le Tiers monde, la prise de conscience politique à l'égard des potentialités de l'architecture de terre commence à se cristalliser. D'abord grâce aux doutes croissants relatifs aux

---

(6) La société « Terre et Soleil » animée à Lyon par M. Pedrotti.

(7) L'unité pédagogique d'architecture (UPAG) de Grenoble où le groupe CRATerre assure un enseignement suivi et des travaux de recherche.

(8) La société Chaffoteaux et Maury commercialise sous le nom de « Stargil » des briques et tuiles (!) en argile stabilisée à froid en exploitant le brevet relatif aux recherches mises au point à Rennes par l'Institut National des Sciences Appliquées. Par ailleurs, le Centre Technique des Tuiles et Briques (Paris) poursuit depuis 1979 des recherches similaires permettant d'espérer 50 % d'économies d'énergie avec la fabrication de ces produits de terre crue.

implications économiques des importations abusives de matériaux de construction qui, selon l'ONU, représentaient, en 1965, 2,6 % du total des PNB des pays africains et 3,6 % en 1972 (5 à 8 % de la valeur totale des importations en Afrique) soit plus de 2 milliards de dollars (9). Ensuite, par des estimations du coût énergétique énorme que ce choix entraîne en amont et en aval, et par la dépendance politique, financière des pays qu'elle contribue à renforcer. Mais aussi par ses implications sociales : si les technologies occidentales se révèlent très chères à l'achat et à l'usage, il apparaît enfin aussi qu'elles sont conçues pour réduire au minimum la main-d'œuvre qui est remplacée par le travail du capital. Or, dans les pays démunis, la première existe en surabondance, et son sous-emploi est croissant, tandis que les capitaux locaux sont faibles.

La logique souvent recherchée est donc d'y déployer des chantiers au moindre prix et absorbant beaucoup d'emplois. C'est ce qu'on a fait en Chine pour réaliser des barrages en terre (selon le même principe technique que celui adopté en France pour construire dans les Alpes le barrage en terre de Serre-Ponçon) ou au Maroc pour construire en terre stabilisée la cité d'habitat social de Daoudiat qui compte 3 200 logements très économiques édifiés en 1963 et 1966 avec 90 % de chômeurs sans qualification et 10 % d'ouvriers d'encadrement. En Chine, ces chantiers ont été entrepris dans le cadre de diverses options politiques clairement définies : « il ne faut compter que sur ses propres forces ». De même, en Allemagne de l'Est, de 1946 à 1958, pour la reconstruction en terre de milliers d'autres villages ou villes moyennes. De même au Pérou, depuis les années 60.

Dans beaucoup de pays, hélas, il s'agit fréquemment de programmes ponctuels résultant des motivations de quelques experts ou militants ou de quelque astuce pour récolter des aides financières extérieures souvent détournées d'ailleurs de leur destination première. Souvent, ces actions sont désespérément sans lendemain car elles ne participent pas vraiment d'une option politique formulée comme telle. Aussi, faut-il souligner les déclarations récentes de chefs d'état qui confirment l'importance culturelle de ces choix politiques et économiques liés à la production architecturale.

En 1971, Anicet Kashamura, alors ministre de l'information au Zaïre, déclare : « Pour nous Africains, certaines données culturelles doivent changer. Nous devons choisir ce qu'il faut conserver, adapter et transmettre. Nous devons choisir entre l'utopie et le réalisme. Il faut échapper aux malheurs qui guettent les sociétés dites civilisées. Nous devons nous passer de ce qui a été fait par l'impérialisme et le colonialisme, au nom d'un prétendu « humanisme » et d'un prétendu « progrès ». Je reconnais avec René Dumont que 'l'Afrique est mal partie mais je ne pense pas qu'elle ait déjà perdu son avenir' » (10).

Madame Indira Gandhi, premier ministre de l'Inde, déclare en 1980 : « Tous les bâtiments modernes entraînent une grande dépense d'énergie. De plus, ils ont l'inconvénient d'être chauds en été et froids en hiver. Ce n'est pas le cas avec les architectures traditionnelles. Les techniques nouvelles sont nécessaires, mais il faut aussi conserver les anciennes qui réunissent les connaissances accumulées par les habitants depuis des siècles pour s'adapter au mieux aux données du climat, du milieu et des modes de vie. On ne peut pas tout conserver car la vie évolue, mais il faut adapter et améliorer les acquis » (11).

Et Julius Nyerere, président de la République de Tanzanie, déclare en 1977 : « Les habitants refusent maintenant de bâtir leurs maisons en brique et en tuile. Ils veulent pour leurs toits de la tôle ondulée et pour les murs ce qu'ils appellent de la « terre européenne », c'est-à-dire du ciment ! Si à l'avenir nous voulons progresser, nous devrons nous débarrasser de cette obsession qui devient une paralysie mentale » (12).

CRÉER LE DOUTE

En Occident, la prise de conscience est plus diffuse et les problèmes sont en partie différents, mais en partie seulement. De nombreux intellectuels ont élaboré des doctrines allant dans ce sens. Certaines d'entre elles sont lentement assimilées par les institutions. Ainsi, paradoxalement, les théories exprimées par Schumacher, en créant en 1963 le concept de « technologie adaptée » et en publiant en 1973 son manifeste *Small is beautiful,* ont été assez vite récupérées et (partiellement...) appliquées par la gigantesque *Banque Mondiale !* Mais rares sont les intellectuels qui, tels John Turner ou Hassan Fathy, ont établi le lien entre les indispensables options générales d'une politique d'action et le cas précis de la réhabilitation et de la modernisation de l'architecture de terre. Le rôle de leaders comme Ivan Illich, Schumacher et bien d'autres n'en est pas moins fondamental pour défricher de nouveaux chemins et surtout pour créer le doute. Leur pensée s'infiltre progressivement au sein des institutions chargées du développement tel qu'en témoigne l'avis de Nicolas Jéquier : « La technologie appropriée peut être considérée comme une des expressions d'une révolution culturelle. Nos sociétés, qu'elles soient industrialisées ou en voie de développement, demandent de nouveaux types de technologies, et ce changement a été assez brutal puisqu'il s'est concrétisé en l'espace d'une demi-décennie, soit, symboliquement, entre mai 1968 et octobre 1973, entre la crise de mai et la crise du pétrole. Le système technologique lui, n'est pas encore arrivé à suivre ce renversement des mentalités, et l'on se trouve aujourd'hui devant une énorme demande potentielle et une offre dramatiquement insuffisante ».

(9) *Human Settlements in Africa;* United Nations, Economic Commission for Africa, Addis-Ababa, 1976.

(10) Anicet Kashamura, *Culture et aliénation en Afrique,* Paris, Éditions du Cercle, 1971.

(11) « Taking an all-round altitude to science », interview d'Indira Gandhi publiée dans *Nature,* vol. 285, n° 5 761, Londres, 1980.

(12) Julius Nyerere, *The Arusha Declaration : Ten Years After,* Tanzania Publishing House, Dar es Salaam, 1977.

OPTIMISME TECHNOLOGIQUE ET DÉSILLUSIONS

On assiste à des transfuges idéologiques remarquables, tel celui de Nathaniel Owings, architecte américain très célèbre car cofondateur d'une des plus gigantesques agences multinationales d'architecture du monde — Skidmore, Owings and Merril — et qui par ses réalisations, symbolise souvent le triomphalisme du « Style International ». Mais pour construire sa propre demeure, il adopte une démarche aux antipodes de sa pratique orthodoxe ; il la bâtit en terre crue et déclare : « Cette maison est réalisée avec des matériaux naturels plutôt qu'avec des produits industrialisés. On peut parfaitement construire une excellente maison en adobe et ma réaction est de m'écarter violemment de l'esprit mécaniste de la pratique courante » (13). Cette désillusion parfois amère à l'égard de la technologie lourde se généralise en Occident pendant les années 70. L'optimisme technologique n'est plus si facilement de mise et le bilan de ses applications suscite de plus en plus de doutes, et d'interrogations ; il entraîne même des démystifications qui amènent l'abandon progressif de projets mégalomaniaques élaborés durant les années 70 : barrages géants, pétroliers géants et autres mégastructures. « La modernité à tout prix » coûte très cher à assumer et à gérer et ce d'autant plus que son « coût social » souvent très élevé n'est presque jamais chiffré. Ainsi, le prétendu « fonctionnalisme » moderne dont on a tant vanté les vertus et à qui on a tant sacrifié, se révèle-t-il souvent mythique ou inefficace dans certains contextes. La course forcenée au « progrès » apparaît dès lors parfois comme une fuite en avant, une irresponsabilité sociale d'autant plus grave qu'elle entraîne habituellement le mépris et le démantèlement des traditions : une sorte de stratégie de la « terre brûlée ». Dans leur euphorie, nombre de décideurs et planificateurs avaient cru pouvoir se passer de ces traditions en faisant table rase des enseignements de l'Histoire, et en contraignant les usagers à l'amnésie. Cette erreur apparaît désormais lourde de conséquences et certains hommes politiques nouveaux semblent en prendre acte.

Après un demi-siècle d'abandon définitif en Occident de la navigation maritime à voile, voici que trois grandes puissances industrielles — les États-Unis, le Japon et la France — redécouvrent les vertus remarquables, pour l'exploitation commerciale, de cette tradition millénaire tombée dans l'oubli. Ni pour la réactualisation de la voile en navigation, ni pour celle de la terre en architecture, il ne s'agit d'une quelconque nostalgie. Il s'agit d'efficacité et de rentabilité, de réalisme technologique et de responsabilité politique. Ainsi le bateau de pêche *Éole* lancé en France en 1981 et le mini-pétrolier *Shin Aitoku Maru* lancé au Japon en 1980, constituent-ils deux exemples d'une même démarche : réhabiliter le principe de l'énergie éolienne en lui appliquant désormais l'acquis de connaissances techniques de pointe. Les voiles textiles ou métalliques y sont mues automatiquement par ordinateur pour assurer l'exploitation optimale du vent et d'un moteur d'appoint. Bilan : 50 % d'économies d'énergie pour ce premier essai qui stimule déjà divers projets commerciaux plus audacieux.

AUTONOMIES

Tenter une synthèse créative et opérationnelle entre des techniques dites traditionnelles et des techniques dites modernes constitue une voie nouvelle : elle cherche à mettre au point des méthodes mieux appropriées à nos besoins mais aussi appropriables par leurs usagers afin que ceux-ci puissent maîtriser l'outil et non plus le subir. Ceci est capital en matière d'habitat, tant dans le Tiers monde où cette pratique courante survit, qu'en Occident où l'on cherche à la redévelopper pour débureaucratiser et démocratiser ce qui devrait être une initiative culturelle partagée. Certaines technologies sont plus propices que d'autres pour permettre cette approche : la construction en terre l'autorise. Aux États-Unis, 160 000 maisons étaient chaque année construites par leurs habitants eux-mêmes vers 1970 (14) et, en 1980, dans l'État du Nouveau-Mexique, la moitié de la production de briques d'adobe est assurée par les usagers qui, ensuite, construisent sans intermédiaires leur habitat en terre. Cette réalité et ces enjeux sociaux considérables ont jusqu'ici souvent été gravement négligés dans les pays occidentaux comme dans de nombreux pays en voie d'industrialisation.

Ce concept fondamental d'autonomie des utilisateurs, des collectivités locales ou des sociétés, est à la fois un moyen et une fin. Dans divers domaines précis, il est déjà appliqué ; on l'a vu, aussi bien en Chine qu'aux États-Unis ! Il suppose que les usagers définissent eux-mêmes les techniques qu'ils utilisent en rapport avec les ressources et les besoins locaux. La construction en terre permet d'impliquer les personnes ou les groupes concernés ; elle permet une production directe et beaucoup plus indépendante à l'égard des centralismes bureaucratiques et industriels. D'une manière générale, elle permet aussi, en tant que « technologie adaptée », « douce » ou « intermédiaire » de dépasser le stade matériel pour permettre une approche globale et philosophique de l'être humain qui serait restauré dans sa dimension conviviale. Pour Ivan Illich, « l'outil est convivial dans la mesure où chacun peut l'utiliser sans difficulté, aussi souvent ou aussi rarement qu'il le désire, à des fins qu'il détermine lui-même. L'usage que chacun en fait n'empiète pas sur la liberté d'autrui d'en faire autant. Entre l'homme et le monde, il est conducteur de sens, traducteur d'intentions ». C'est dans ce contexte éthique général que l'on peut restituer les qualités et les atouts des architectures de terre pour l'avenir.

13) *In : Architectural Forum,* New York, September 1972, pp. 42-45.

(14) William C. Grindley, « Owners-builders : Survivors with a future » *in : Freedom to build,* édité par John Turner et Robert Fichter, Mac Millan, New York, 1972.

NI DOMINÉ, NI DOMINANT

La terre est un matériau naturel disponible en abondance dans de multiples régions du monde puisque les argiles et les latérites propices à la construction constituent 74 % de l'écorce terrestre (15). En tant que tel, il n'implique souvent ni achat ou transport coûteux, ni gaspillage ou transformation à caractère industriel. Il permet donc fréquemment d'échapper aux contraintes d'un marché ou d'un monopole commercial sans toutefois éliminer la possibilité d'une production non polluante en séries décentralisées. L'usage de la terre ne fait appel ni à une économie dominée, ni à une économie dominante. Son usage garantit le maintien des équilibres écologiques, le respect de l'environnement et de la vie. La diversité des modes d'emploi de ce matériau permet de choisir entre le recours à une main-d'œuvre très abondante et peu spécialisée, à des systèmes familiaux ou à des pratiques plus élaborées. Ce choix reste ouvert pour assurer notamment l'autoconstruction ou le plein emploi dans les sociétés touchées par le chômage. Son usage peut restaurer la dimension démocratique des initiatives locales ou régionales et la réduction des inégalités sociales. Les processus locaux d'utilisation de la terre permettent de mieux moduler les réponses aux fluctuations des besoins réels et directs des sociétés et ceci sans intermédiaires parasitaires. L'usage de la terre renforce l'autonomie de chacun au niveau du groupe ou de la nation car il permet d'exprimer une indépendance culturelle, économique et énergétique.

LE GÉNIE DU LIEU

En plus de ses atouts en termes politiques et économiques, sociaux et écologiques, le matériau « terre » a un intérêt culturel et architectural. La diversité des architectures de terre et de leurs modes possibles de construction est un gage contre l'impérialisme culturel et contre le retour aux normes à caractère uniforme et passe-partout du « style international » auquel nous échappons à peine, depuis quelques années. Aussi les recours aux architectures de terre pourraient-ils faciliter une réinsertion vitale de l'architecture dans diverses traditions culturelles et populaires propres aux communautés et nous réconcilier enfin avec le sens et l'usage du génie du lieu tout en recréant un lien de continuité entre l'histoire, l'actualité et l'avenir. N'est-ce pas en terre crue que l'on a récemment construit des hôpitaux et des écoles, des barrages et des usines, des hôtels et des musées, des immeubles et des villas, des quartiers d'habitat urbains ou des villages ? Autant de témoignages vivants d'une réelle renaissance de l'architecture publique et domestique édifiée en terre dans le Tiers monde aussi bien qu'en Europe et aux États-Unis. Dans ce pays, où le phénomène est maintenant en réelle expansion depuis la crise de l'énergie, la moitié de la production des briques d'adobe était en 1980 assurée dans l'État du Nouveau-Mexique par une cinquantaine d'unités d'industrialisation légère dispersées sur le territoire. L'autre moitié, on l'a vu, est produite directement par les usagers pour eux-mêmes.

ÉCONOMIE D'ÉNERGIE

Désormais les qualités de l'architecture de terre crue apparaissent aussi en termes d'économie d'énergie, en amont et en aval de la phase de construction. Cet atout apparaît important du fait même que les énergies utilisées dans ces domaines industriels ou domestiques peuvent, en Occident, représenter 20 % à 25 % de la consommation nationale. En amont, car la fabrication des briques de terre crue n'utilise qu'une quantité infime ou nulle d'énergie par rapport aux autres matériaux puisqu'elles ne sont pas cuites (processus qui nécessiterait le chauffage de fours entre 900 et 1 100 degrés centigrades) et que, produites in situ ou localement, elles n'impliquent pas ou peu de frais de transports.

En plus des économies d'énergie lors de la production, les bâtiments en terre en permettent d'autres, à l'usage, pour leur chauffage ou leur climatisation : en effet, la nature thermique des murs de terre implique à la fois une réduction des déperditions calorifiques et un sentiment de réel « confort thermique ». Cette appréciation non quantifiable — car psychique — révèle le caractère culturel du processus mental qui amène les uns — souvent les privilégiés de la société — à apprécier la terre pour son caractère confortable et chaleureux, maternel et sécurisant, pur et écologique, tandis que les autres — souvent les plus démunis — s'y sentent souvent enfermés dans un archaïsme qu'ils perçoivent comme un obstacle dans leurs aspirations sociales à consommer et à afficher des images plus matérielles du « progrès » moderne.

DIALOGUES NORD-SUD ET ÉCO-DÉVELOPPEMENT

Pour mieux maîtriser nos connaissances dans ces divers domaines, des efforts de recherches sont en cours en de multiples lieux, par de petites équipes décentralisées. Il n'est pas question ainsi de s'isoler du reste du monde et de tout réinventer tout seul. Une politique autonome de recherche exige au contraire des échanges extérieurs nourris mais sélectifs. L'enjeu est décisif car il s'agit du passage du « mal-développement » à un « éco-développement ».

Dans la perspective d'un tel décloisonnement des échanges inter-régionaux, certains sont sceptiques quant aux apports dont pourrait bénéficier l'Occident de certaines expériences technologiques entreprises par des chercheurs dans le Tiers monde. On se limitera ici à deux exemples.La première et la plus célèbre machine destinée à fabriquer des briques de terre stabilisée, la presse « Cinva-Ram », a été inventée et brevetée en Colombie en 1957, puis commercialisée mondialement,

---

(15) D'après Hugo Houben et Patrice Doat du groupe CRATerre.

notamment par une firme française qui avait acquis la licence partielle de fabrication.

Par ailleurs le Danemark s'est lancé récemment dans un programme d'équipement pour exploiter les ressources énergétiques du bio-gaz, issu du traitement des déchets organiques. Cette «technologie adaptée» a été enseignée aux Danois par des ingénieurs venus d'Inde qui transposent les expériences amorcées vers 1958 en Chine ! Il faut dire que le Danemark est sans doute, en Occident, le pays où la pratique de technologies intermédiaires et douces est la plus développée car elle s'inscrit dans une tradition politique et culturelle déjà ancienne. Est-ce par hasard si François Cointeraux a fait école dans le pays dès le début du XIXe siècle ? On y compte aujourd'hui des dizaines de milliers de maisons construites en terre durant l'ère industrielle.

Un dialogue entre le «Nord» et le «Sud» de la terre, entre les pays en voie d'industrialisation et ceux en voie de post-industrialisation, s'avérerait d'autant plus fructueux de part et d'autre que les premiers sont maintenant presque les seuls à être dépositaires des traditions spirituelles, culturelles et artistiques — menacées chez eux de disparition mais encore vivantes — propres à l'architecture de terre.

Les pays occidentaux, quant à eux, maîtrisent certaines méthodes de sa modernisation technologique qui passe notamment par la combinaison des matériaux «terre» avec les usages de l'énergie solaire et d'autres principes bio-climatiques d'ailleurs souvent hérités eux aussi du bon sens populaire traditionnel. Depuis la crise pétrolière de 1973, les maisons bâties aux États-Unis sur ces bases permettent déjà une autonomie énergétique extraordinaire en couvrant parfois jusqu'à 95 % des besoins domestiques. Ces constructions solaires en terre constituent un des bancs d'essai des architectures de demain.

NOUVELLES DESTINÉES

Certes, l'architecture de terre ne peut pas et ne doit pas être considérée comme une solution miraculeuse ou passe-partout. Nos sociétés ont suffisamment souffert des illusoires promesses successives du «tout charbon», du «tout pétrole», du «tout électrique» puis du «tout nucléaire» pour ne pas adopter ces schématismes redoutables et inadaptés aux réalités. Un quelconque «tout terre» serait tout aussi absurde. Il apparaît pourtant que la construction en terre est dès maintenant appelée à de nouvelles destinées.

Cette aventure ne sera-t-elle pas d'autant plus passionnante à suivre qu'elle sera directement liée à des interactions imprévisibles entre de multiples facteurs économiques et industriels, politiques et culturels, sociaux, psychiques ou affectifs ? Ce phénomène apparaît déjà comme un étrange paradoxe de notre histoire : à l'ère industrielle, un cas de fécondation de l'avenir par des méthodes inventées il y a près de 10 000 ans pour construire les premières villes de l'humanité et dont le savoir-faire est parvenu jusqu'à nous grâce aux constants relais des traditions populaires des sociétés préindustrielles.

TRADITIONS HISTORIQUES ET POPULAIRES DES ARCHITECTURES DE TERRE

1
DE L'ANCIENNETÉ
DES ARCHITECTURES DE TERRE

es origines des traditions populaires de l'architec-
ure de terre remontent aux sources de l'histoire
es villes de l'humanité. C'est en terre crue, en
ffet, que furent édifiées en Mésopotamie, il y a
uelque 10 000 ans, les premières agglomérations
rbaines : Jéricho semble avoir été la plus
ncienne. La célèbre Babylone était aussi bâtie en
erre, de même que la fameuse Tour de Babel qui
n désignait le centre il y a 27 siècles. Depuis lors,
e savoir-faire s'est généralisé à la plupart des pays
u monde. C'est ainsi que le tiers au moins de nos
ontemporains vivent aujourd'hui dans des archi-
ctures de terre. Pour relayer ces traditions
illénaires jusqu'à nous, de multiples civilisations
rbaines et rurales ont assimilé, ré-inventé ou

amélioré ces techniques de construction qui ont
ainsi prouvé leurs qualités et leurs potentialités
d'adaptation aux conditions géographiques, aux
cultures et aux circonstances les plus diverses.

On trouve l'évidence de ces multiples architectures
de terre sur tous les continents : vestiges archéologiques et historiques bien sûr, mais aussi et surtout
d'innombrables villes et villages où se perpétue
chaque jour l'héritage séculaire de traditions
fécondées par les échanges entre civilisations les
plus diverses. C'est au prolongement de ce cycle
vital de renouvellement des architectures de terre
que l'actualité récente, depuis la crise de l'énergie,
semble nous convier...

Double page Vue aérienne du centre d'une agglomération de la vallée du Draa au Maroc. Photo de Pierre Moreau, 1970.

1 Le rite de la fabrication du premier parpaing de terre crue tel qu'il apparaît sur une frise pharaonique du temple de Montou à Tôd en Égypte. Photo de Christine Bastin, 1980.

2 Reconstitution à l'identique d'une villa rurale contemporaine de l'empire Inca dans la vallée du Rimac, près de Lima au Pérou. Photo de Richard List, 1978.

3 Reconstitution à l'identique du temple d'Emach, entreprise vers 1968, en Irak. Photo d'André Stevens, 1979; cf. photo 8, p. 136.

4 Tombeaux de la nécropole de Bagawat édifiés il y a 1 500 ans dans l'oasis de Kharga, en Égypte. Photo de Jacques Evrard, 1980.

5 Les villes de l'antiquité au Moyen-Orient devaient très probablement avoir des similitudes avec cette agglomération fortifiée de Tissergate dans la vallée du Draa, au Maroc. Photo de Christian Lignon, 1981.

6 Bas-relief représentant une ville antique de Mésopotamie. Photo d'Anne Moreau.

7 Illustration extraite d'une bande dessinée de Jacques Martin, *« le Prince du Nil »*, représentant une ville égyptienne avec les maisons de terre édifiées autour d'un palais. Photo des Éditions Casterman, Paris-Tournai.

8 Vestiges d'un stoûpa édifié au vi^e ou au viie siècle à Yâr, dans la région du Tourfan, en Chine. Photo d'André Stevens, 1981.

9 De nombreuses civilisations ont édifié des pyramides en briques de terre crue, souvent recouvertes de parements étanches. Ce fut le cas aussi bien de l'Égypte des Pharaons, du Mexique des Aztèques et des Toltèques que du Pérou de la civilisation Mochica. Photo de C. Bastin, 1980.

10 Cette architecture en terre crue, édifiée par les Indiens vers 1350 est un des plus anciens vestiges architecturaux de l'Amérique du Nord. Les vestiges de la « Casa Grande » (Arizona), considérée comme un témoignage culturel majeur des États-Unis, sont protégés par une imposante structure métallique. Photo de C. Bastin, 1981.

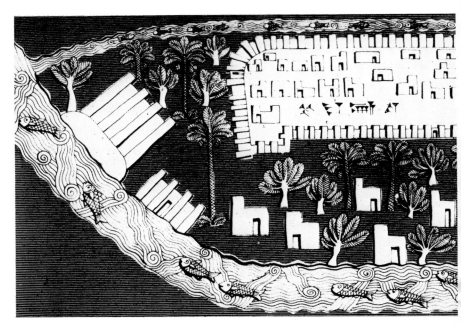

1

2
DE LA FORCE ET DE LA SOLIDITÉ
DES ARCHITECTURES DE TERRE

Si tout le monde s'accorde à reconnaître l'ancienneté des traditions historiques et populaires de l'architecture de terre, des préjugés fréquents insinuent toutefois que ces constructions seraient fragiles et ne résisteraient guère au temps.

L'analyse sereine du patrimoine ancien existant à travers le monde prouve souvent l'inverse. C'est ainsi que l'on peut voir actuellement dans le sud-ouest des États-Unis de multiples églises ou monastères édifiés en terre dès le XVIe siècle et, en Afrique Noire, de grandes mosquées dont la fondation remonte à peu près à cette même époque. Les vastes enceintes urbaines défensives construites dès le XIIe siècle autour de multiples villes d'Afrique (Marrakech, Fès, Rabat...), d'Eu-

rope méridionale ou du Moyen-Orient (et désormais classées « monuments historiques ») attestent la force et la solidité que peuvent témoigner les constructions en terre soigneusement édifiées. C'est pourquoi à partir du IIIe siècle avant notre ère les empereurs de Chine ont, sur de longs tronçons, édifié avec cette technique la très célèbre Muraille de Chine. Ces vertus de résistance de la terre crue, les stratèges de bien des armées les ont exploitées depuis Hannibal en Espagne, au IIe siècle avant Jésus-Christ, jusqu'aux corps du génie de l'armée américaine en 1943 pour construire des barrages, des bâtiments et des pistes d'aviation. Depuis lors, les progrès techniques modernes ont permis d'améliorer encore ces performances traditionnelles.

1 Mosquée de Djenné au Mali reconstruite en 1905. Photo d'Yvette Vincent-Alleaume, 1974.

2 Porte d'entrée défensive de Bab-al-Idriss à Al-Shihr, au Yémen du Sud. Photo de Jean Gire.

3 Église fortifiée d'Isleta Pueblo, édifiée vers 1680 par les Espagnols, dans l'État du Nouveau-Mexique aux États-Unis. Photo de Christine Bastin, 1981.

4 Entrée principale de la grande mosquée du Vendredi à Mopti reconstruite en 1935 au Mali. Photo de Sergio Domian, 1981.

5 Enceinte fortifiée de Tashkourgan en Afghanistan. Photo de Roland Michaud/ agence Rapho.

6 Village fortifié de Bololah en Afghanistan. Photo de Paolo Koch/agence Rapho.

7 Enceinte fortifiée de la ville de Marrakech au Maroc, élevée au XIIIe siècle et classée monument historique en 1922. Photo Christian Lignon, 1981.

8 Vue aérienne de Tiznit, au Maroc, créée ex nihilo en 1882 et défendue par une enceinte de cinq kilomètres édifiée en pisé. Photo de Pierre Moreau, 1970.

4

1

2

3
DE LA DIVERSITÉ DES FORMES
DES ARCHITECTURES DE TERRE

Avec la terre crue, matériau simple et d'une évidence première puisqu'il constitue 74 % de l'écorce terrestre, les bâtisseurs ont réussi à édifier à travers le monde des architectures d'une extraordinaire diversité de formes, à élaborer une étonnante diversité de langages architecturaux où s'expriment avec éloquence les originalités culturelles des usagers. Ainsi le « génie du lieu » s'épanouit-il en un véritable « génie de la terre ». Il s'adapte, en de multiples et subtiles variations, aux conditions particulières du milieu social et économique, géographique et climatique.

Ce savoir-faire avait donné naissance sur tous les continents et depuis des siècles à des traditions savantes et populaires dont l'intelligence et la virtuosité ont été brutalement occultées, puis méprisées, depuis un demi-siècle. En effet, certaines élites ont fait prévaloir l'idée d'un certain « progrès à tout prix » en imposant notamment une architecture dite de « style international ». Pour généraliser ses stéréotypes passe-partout, celle-ci a brutalement fait table rase des traditions régionales et instauré une ère de mépris et d'amnésie à l'égard des diverses formes du savoir-faire populaire. Ce sont les expressions de ce patrimoine qu'il nous faut maintenant redécouvrir : non pas par nostalgie, mais pour recréer une continuité vivante entre l'intelligence des traditions et l'audace d'un avenir qui accorde un nouveau droit de cité aux spécificités culturelles et aux autonomies régionales.

3

5

6

7

1 Maison traditionnelle des célibataires « Bozo » dans un village de la région de Mopti au Mali, probablement édifiée vers 1850. Photo de Sergio Domian, 1981.

2 Mausolée du prophète Hüd à Quabr Hüd, au Yémen du Sud. Photo de Christian Darles et Jean-François Breton.

3 Mosquée du Vendredi à San au Mali. Ces trois minarets ont probablement été édifiés vers 1930. Photo de Marli Shamir, 1970.

4 Terrasse de la mosquée du village de Igoulmime, près de Goulmima, dans la vallée du Rhéris, au Maroc. Photo de Christian Lignon, 1981.

5 Ferme fortifiée — tata ou concession familiale — de l'ethnie Somba, à Tapyeta, dans la région de l'Atakora, au nord-ouest du Bénin. Photo de Bruno Français, 1981.

6 Maison de notable à Ségou, au Mali. Photo de Michel Renaudeau, 1976.

7 Maison urbaine à Mopti au Mali, probablement édifiée vers 1960. Photo de Sergio Domian, 1981.

8 Ferme fortifiée — kasbah — de la vallée du Dadès, au Maroc. Photo de Karl-Heinz Striedter.

11

12

13

14

9 Ferme traditionnelle de la région du Dauphiné en France. Photo de Patrice Doat et Hugo Houben, 1978.

10 Maison de notable au Yémen du Nord. Photo de Dominique Champault/Musée de l'Homme, Paris.

11 Maisons rurales des Aït Oudinar, édifiées vers 1960 dans les gorges du Dadès, au Maroc. Photo de Christian Lignon, 1981.

12 Habitation rurale, dite « case-obus », de l'ethnie Mousgoum au Cameroun. Photo de Dominique Pidance et Alain Le Balh, 1979.

13 Église dédiée à Saint-François d'Assise et fondée en 1782, en Amérique du Nord par la mission espagnole. L'église a donné son nom à la ville de Californie qui s'est édifiée autour d'elle : San Francisco. Photo de Jacques Evrard, 1981.

14 Pigeonnier de la région du Fayoum, en Égypte. Photo de Jacques Evrard, 1978.

15 Maison urbaine à Zinder, au Niger. Photo de René Gardi.

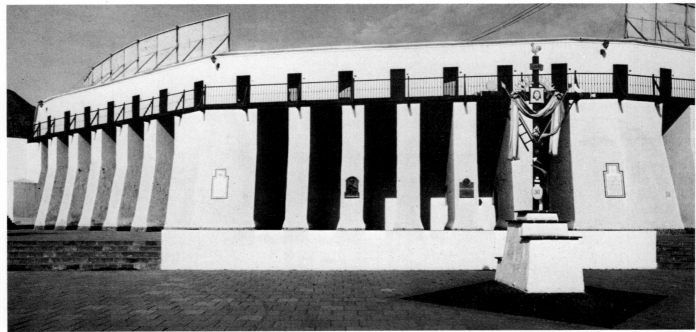

4
DE LA VARIÉTÉ DES FONCTIONS
DES BÂTIMENTS EN TERRE

La puissance de conditionnement culturel a été telle depuis un demi-siècle en faveur des dogmes de l'architecture moderne orthodoxe que nous avons souvent oublié l'évidence même des aptitudes des architectures des communautés traditionnelles à résoudre de façon locale et autonome de multiples problèmes d'équipement et d'aménagement.

Ainsi, quand nous évoquons devant nos contemporains les architectures de terre, ils se réfèrent trop souvent à des images paternalistes de « huttes primitives » ou à des clichés d'habitats « sommaires et lointains ». En dehors de ces schémas réducteurs et ethnocentriques, les réalités sont bien différentes. D'abord parce que les habitations édifiées en terre à travers le monde sont souvent d'une vigoureuse diversité, d'une habile ingéniosité technique et d'une subtile créativité artistique. Mais aussi parce que, en plus des habitats, ce même matériau a permis de construire une gamme très variée de bâtiments publics ou privés, vastes et utiles au développement matériel et spirituel des communautés urbaines ou rurales : mosquées et églises, greniers et entrepôts, enceintes et citadelles, moulins, aqueducs et fours à glace, arènes et portes monumentales, temples et palais.

3

4

1 Fours à glace dans la région de Kerman, en Iran. Photo de Bruno Barbey/agence Magnum.

2 Arènes de corrida édifiées au XVIIIᵉ siècle, au Pérou. Photo d'Ovidio Oré, 1981.

3 Église de Bourdenous près de Corbelin, dans le département de l'Ain, en France. Photo de Patrice Doat et Hugo Houben, 1976.

4 Entrepôts et séchoirs à raisin dans une oasis de Tourfan, région de Ouigour du Xinjang, en Chine. Photo d'André Stevens, 1981.

5 Silo à grain dans la région de Bandiagara, au Mali. Photo d'Yvette Vincent Alleaume, 1974.

6 Mosquée de Kawara, au nord de Ferkéssé-dougou en Côte-d'Ivoire. Photo de René Gardi, 1975.

7 Maison rurale à Djoub-es-Safa à 25 km à l'est d'Alep, en Syrie. Photo d'André Stevens, 1978.

8 Pensionnat édifié au XIXᵉ siècle à Lima, au Pérou. Photo d'Ovidio Oré, 1981.

9 Château d'eau et répartiteur d'eaux à In Salah dans le Sahara, en Algérie. Photo d'Anne Rochette, 1980.

10 Porte monumentale d'accès à la ville de Timimoun créée ex nihilo vers 1930, dans le Sahara, en Algérie. Photo de Bruno Français, 1981.

5

6

7

8

9

5
DE L'UNIVERSALITÉ
DES ARCHITECTURES DE TERRE

Contrairement à des préjugés, hélas très répandus, les architectures traditionnelles de terre n'existent pas que dans les ethnies lointaines de l'Afrique. Elles sont universelles, en ce sens que l'on trouve actuellement l'évidence de leur existence dans la majorité des pays du monde et sur tous les continents.

C'est ainsi qu'aujourd'hui un tiers de l'humanité vit dans des habitats édifiés en terre crue ! Les usages de l'architecture de terre se sont adaptés aux cultures et aux climats les plus divers; aussi bien dans les régions chaudes, sèches ou semi-désertiques que dans les contrées froides, pluvieuses ou neigeuses. Ainsi peut-on discerner les maillons d'une continuité de ces pratiques architec-turales depuis l'extrême nord de l'Europe (Norvège, Suède, Danemark) jusqu'au sud de l'Afrique en passant par l'Angleterre et l'Allemagne, la France, l'Espagne ou l'Italie, le Maghreb, le Sahara, l'Afrique occidentale, orientale et centrale.

De même ces traditions sont vivaces en Amérique du Nord comme en Amérique latine, au Moyen-Orient, en Asie aussi bien qu'en Australie.

Il est remarquable de constater que l'universalité de ces architectures se décline en une très grande diversité d'adaptations techniques et culturelles, toujours bien appropriées aux nécessités locales des communautés rurales et urbaines les plus variées.

3

4

1 Habitation rurale fortifiée — kasbah — des Aït Hadidou dans la région d'Imilchil dans le Haut-Atlas, au Maroc. Photo de David Hickx.

2 Village édifié en terre, en Espagne. Photo de David Hickx.

3 Habitations rurales du village de Gharb Assouan, en Égypte. Photo de Christine Bastin, 1980.

4 Maisons rurales en Inde. Photo de Claude Sauvageot.

5 Habitation rurale au Népal. Photo de Jean-Marc Charles/agence Rapho, 1976.

6 Groupe de maisons rurales des Aït Ibrirn dans les gorges de la vallée du Dadès, au Maroc. Photo de Christian Lignon, 1981.

7 Immeuble de la banque populaire sur la place centrale de Villa de Leyva, en Colombie. Photo d'Ignacio Gomez-Pulido, 1977.

8 Habitations rurales à Yunnan dans la région de Kunming (Yunnanfu), en Chine. Photo Musée de l'Homme, Paris.

9 Église de Santo Antonio édifiée vers 1640 à Sao Roque, dans l'État de Sao Paulo, au Brésil. Photo d'Hélène Cassignol, 1981.

10 Maisons urbaines à Djenné, au Mali. Photo de Marli Shamir, 1969.

11 Maisons urbaines à Boukhara, dans la République de l'Ouzbekistan, en Union Soviétique. Photo d'Anne Salaun/agence Roger Viollet, 1964.

12 Maisons urbaines à Sanaa, au Yémen du Nord. Photo de Michel Andrault, 1975.

13 Maison rurale — cottage — dans la région du Devon, en Angleterre. Photo de David Hickx.

14 Grande mosquée à Bobo Dioulasso, en Haute-Volta. Photo de Don Foresta.

15 Maisons à gradins du « pueblo » indien de Taos, fondé vers 1250 et situé dans l'État du Nouveau-Mexique aux États-Unis. Photo de Jacques Evrard, 1981.

10

11

6
DE QUELQUES MÉTHODES
DE CONSTRUCTION EN TERRE

Même s'il existe à travers le monde une incontestable diversité des techniques de construction en terre crue, on peut distinguer deux procédés principaux de mise en œuvre de ce matériau. D'une part, *le pisé de terre* (mot français apparu à Lyon en 1562 et d'origine latine) qui dégine le principe de construction de murs épais (50 cm minimum) en compressant la terre dans des coffrages latéraux qu'on déplace au fur et à mesure de l'avancement du travail.

D'autre part, la construction en *adobe* (mot arabe et berbère adopté en espagnol puis transmis au XVIe siècle aux Amériques où il est assimilé en anglais) qui désigne des briques de terre crue séchées au soleil (après leur mise en forme dans des moules) puis utilisées, de façon classique pour édifier des murs, ou de façon plus élaborée pour réaliser (avec ou sans coffrages) des voûtes et des coupoles.

Traditionnellement, la terre est soigneusement choisie en fonction de sa composition puis mélangée à de l'eau et des liants végétaux (de la paille hachée le plus souvent) afin de former un ensemble cohérent. Pour remédier au fait que les constructions traditionnelles en terre craignent l'érosion des eaux, des parades souvent très efficaces ont été élaborées depuis bien longtemps. Le génie populaire anglais l'exprime en une formule : « Pour durer des siècles, il suffit aux maisons de terre d'avoir un bon chapeau et de bonnes bottes. » En clair : une toiture débordante pour protéger les murs des pluies et des fondations en pierre pour éviter les méfaits de l'érosion des murs par les eaux de ruissellement ou leur humidité par capillarité.

Outre la construction des murs en pisé ou en adobe, on peut réaliser divers systèmes traditionnels de couverture des immeubles : toitures-terrasses, coupoles et voûtes dont la variété des formes et des dimensions permet de diversifier le langage spécifique aux architectures de terre. Tous ces procédés traditionnels ont fait l'objet, au XXe siècle, de perfectionnements techniques divers pour en augmenter encore l'efficacité et la fiabilité.

2

3

6a

6b

6c

6d

7a

7b

7c

7d

8

9

1 Réfection annuelle des enduits en terre de la mosquée de Koundouga, en Haute-Volta. Photo de Jacques Evrard, 1978.

2 Stèle représentant un roi de Mésopotamie participant symboliquement aux premiers travaux de construction d'un temple et portant sur sa tête un panier de briques de terre crue. Photo British Museum, Londres.

3 Statuette représentant un ouvrier de Mésopotamie portant la terre nécessaire à la réalisation de briques. Photo British Museum, Londres.

4 Le pisé : damage de la terre dans des coffrages latéraux en bois, déplacés au fur et à mesure de l'avancement du mur. Photo réalisée au Maroc par Dominique Pidance et Alain Le Balh, 1980.

5 L'adobe : moulage et séchage au soleil des briques de terre crue. Photo réalisée en Algérie par Gérard Degeorges.

6 Construction d'une voûte oblique dite « voûte nubienne » en briques de terre crue et sans coffrage :

6a Érection du mur d'appui de la voûte. Photo réalisée en Iran par Bernard Gardi.

6b Amorce des premières assises obliques appuyées contre le mur d'appui de la voûte. Photo réalisée en France par CRATerre.

6c Avancée de plusieurs voûtes parallèles. Photo réalisée en Iran par Bernard Gardi.

6d Voûte nubienne achevée. Photo d'un bâtiment d'Hassan Fathy réalisée en Égypte par Christine Bastin, 1980.

7 Construction sans coffrage d'une coupole en briques de terre crue :

7a Amorce du pendentif d'une coupole. Photo réalisée en France par CRATerre.

7b Construction d'une trompe pour coupole. Photo réalisée en Iran par Nader Khalili.

7c Fermeture de la coupole. Photo réalisée en Iran par Nader Khalili.

7d Une série de coupoles couvrant la toiture d'une mosquée au Yémen du Nord. Photo d'Yvette Vincent Alleaume, 1976.

15

8 Vue en chantier d'une voûte en terre armée de bois, Cercle de Tahoua au Niger. Photo Musée de l'Homme, Paris.

9 Vue intérieure d'une voûte dite « voûte Haoussa » en terre armée de bois, à l'intérieur du palais du Sultan à Dosso, au Niger. Photo de Souhlal, Cartem.

10 Maisons urbaines en chantier et achevées (à l'arrière-plan) à Saadâ, au Yémen du Nord. On notera pour cet usage du pisé, la tradition yéménite de redresser les coins des murs pour les renforcer. Photo de Véronique Dolfuss, 1976.

11 Vue aérienne du centre urbain de Séojane, en Iran. Les coupoles couvrent les artères commerciales du bazar. Photo de Georg Gerster/agence Rapho, 1975.

12 Frise égyptienne représentant les diverses phases de la préparation des briques de terre crue et leur mise en œuvre. Photo communiquée par L. Christians.

13 Illustration allemande du XIXe siècle représentant l'usage de la terre dans les constructions rurales traditionnelles. Photo communiquée par L. Christians.

14 Illustration française représentant les diverses phases de la préparation des briques de terre crue aux abords de la ville de Reims vers 1860 avec, au fond, le chemin de fer et la cathédrale. Photo de Roger Roche.

15 Maison de la région du sud-ouest de l'Arabie Saoudite. Les lits successifs de pierres plates encastrées dans les murs de terre ont pour but d'empêcher leur ravinement par les pluies occasionnelles mais violentes. Photo de Michael Earls, 1980.

16 Pose des enduits de terre sur une maison de la région de Santa Fe aux États-Unis. Photo de Russel Lee/Library of Congress, vers 1930.

17 Rituel annuel de la réfection des enduits en terre sur les murs de la mosquée d'un village de l'ethnie Bambara, au Mali. Photo de Marli Shamir, 1970.

18 Pose des revêtements à base de terre sur la toiture-terrasse d'une maison rurale de la région du Dadès, au Maroc. Photo de Christian Lignon, 1981.

19 Pose des revêtements de terre sur un mur dans le Sahara en Algérie. Photo de Helfried Weyer, 1979.

1

2

DE L'USAGE
DES ARCHITECTURES DE TERRE
PAR LES NANTIS ET LES DÉMUNIS

La construction en terre crue n'implique en aucune façon des usages restrictifs à des classes sociales particulières : traditionnellement, tout le monde fait usage du même matériau de base. Aussi bien les nantis que les démunis.

C'est ainsi que depuis l'antiquité et sans discontinuité jusqu'à nos jours, les « grands » de ce monde ont, comme leurs contemporains, apprécié les qualités architecturales de la terre crue. Il en demeure pour nous des traces évidentes avec le palais du roi Minos à Cnossos en Crète (édifié 2000 ans av. J.-C.), le palais des Gouverneurs à Mari en Mésopotamie (1900 av. J.-C.) ou celui du pharaon Aménophis III à Aklet-Aton près de Thèbes (1400 av. J.-C.) et les vestiges de Raqchi au Pérou (1450), le palais Badi à Marrakech (1578) et ceux du Dalaï-Lama au Thibet ou de l'émir de Daura au Nigeria (1780), le palais des Gouverneurs à Santa Fe aux États-Unis (1609) ou, plus récemment (1980) dans ce même pays, la résidence d'été du magnat américain du bois à Taos.

Les architectures de terre existent aussi bien dans les pays économiquement riches que pauvres. Mais désormais un processus mental « moderne » amène les uns — souvent les privilégiés de la société — à apprécier la terre pour son caractère confortable et chaleureux, maternel et sécurisant, pur et écologique, tandis que les autres — souvent les plus démunis — s'y sentent souvent enfermés dans un archaïsme qu'ils perçoivent comme un obstacle dans leurs aspirations sociales à consommer et à afficher des images plus matérielles du « progrès » moderne.

5

1 Maisons rurales dans le Haut-Atlas au Maroc. Photo de David Hickx, 1976.

2 Palais de la famille royale à Riyad, en Arabie Saoudite. Photo de René Burri/ agence Magnum.

3 Salle à manger de la Casa Estudillo, édifiée au xixe siècle à San Diego dans l'État de Californie, aux États-Unis. Photo de Christine Bastin, 1981.

4 Maison du cheikh, le chef administratif du village, de Bouadel, dans la région du Rif, au Maroc. Photo de Christian Lignon, 1981.

5 Cour d'apparat du palais de l'émir de Dansa, au Nigéria. Photo de Bruno Barbey/agence Magnum.

6 Palais de Ségou-Sikoro sur le fleuve Niger, au Mali. Illustration du xixe siècle.

7 Château édifié au xixe siècle dans la vallée de la Saône, près de Lyon, en France. Photo de Patrice Doat et Hugo Houben.

8 Château du Glaoui, ancien chef féodal, édifié au xixe siècle à Telouet dans le Haut-Atlas, au Maroc. Photo d'Anne Moreau, 1975.

9 Palais du sultan à Agadès, au Niger. Photo de Souhlal, Cartem.

10 Palais édifiée au début du xxe siècle à Tarim, au Yémen du Sud, et témoignant d'influences indiennes et indonésiennes. Photo de Jean-François Breton et Christian Darles.

9

10

1

8
DE L'URBANITÉ
DES ARCHITECTURES DE TERRE

C'est en terre crue que les civilisations les plus diverses ont édifié des villes entières. Des unes, il ne reste à travers le monde que des vestiges archéologiques tant elles sont anciennes : de Jéricho, sans doute la première ville de l'histoire, bâtie il y a 10 000 ans environ, à Catal Häyük en Turquie, d'Harapa et Mohendjo-Daro au Pakistan à Akhlet-Aton en Égypte, de Chan-Chan au Pérou à la célèbre Babylone en Irak, de Madinat-Al-Zahra aux portes de Cordoue en Espagne à Khirokifia en Crète. Sur ces bases antiques se sont parfois épanouies des villes modernes où la construction en terre est restée présente, telle Lugdunum, capitale de la Gaule romaine devenue Lyon, la troisième ville de France. Nées de la conquête espagnole des Amériques, bien des villes témoignent encore de l'usage urbain de la terre,

telles que Santa Fe, capitale de l'État du Nouveau-Mexique aux États-Unis ou le centre de Bogota, capitale de la Colombie. Et de l'Afrique au Moyen-Orient, c'est une étonnante continuité de villes en terre : Kano au Nigéria, Agadès au Niger, Tombouctou au Mali, Oualata en Mauritanie, Marrakech au Maroc, Adrar en Algérie, Ghadamès en Libye, Sadaa au Yémen du Nord, Shibam au Yémen du Sud, Yazd en Iran...

Sur les bases de ces traditions urbaines, diverses réalisations récentes ont été entreprises pour régénérer ces pratiques d'une architecture citadine en terre : en Afrique (à Marrakech ou à Rosso), en Europe (en France dans la ville nouvelle de l'Isle d'Abeau près de Lyon ou en Allemagne de l'Est) et aux États-Unis (à Santa Fe ou à Albuquerque).

4

5

6

1 Sanaa, au Yémen du Nord, et ses immeubles d'habitation de cinq étages. Photo de Christian Monty, 1973.

2 Rue d'un quartier de banlieue à Lima, au Pérou. Photo d'Ovidio Oré, 1981.

3 Place centrale de Villa de Leyva, en Colombie. Photo d'Ignacio Gomez Pou-lido, 1976.

4 Vue aérienne du centre de Mopti au Mali avec, à l'arrière-plan, la grande mosquée réédifiée en 1905 et le fleuve Niger. Photo Musée de l'Homme, Paris, vers 1950.

5 Immeubles d'habitation de huit étages de Shibam, parfois dénommée le « Manhattan du désert » dans la vallée du Wâdî Hadra-maut, au Yémen du Sud. (cf. photo 7). Plus de la moitié des immeubles de cette ville très ancienne ont été reconstruits durant la deuxième moitié du XXᵉ siècle. Photo de Christian Darles et Jean-François Breton.

6 Plan de la ville de Saadâ, au Yémen du Nord, réalisé par l'architecte Werner Dubach d'après le relevé aérien de 1973.

7 Vue aérienne générale de Shibam, au Yémen du Sud (cf. photo 5). A l'arrière-plan, la ville « haute » et ses 500 immeubles; à l'avant-plan, les extensions sub-urbaines récentes également construites en terre crue. Photo de Jean-François Breton et Christian Darles, 1978.

8 Vue aérienne d'un quartier central de la ville traditionnelle — médina — de Marra-kech, au Maroc. Photo de Pierre Moreau.

9 Immeubles au centre d'une ville bâtie en terre en Espagne. Photo de David Hickx.

10 Vue aérienne de quartiers urbains édi-fiés en pisé au XIXᵉ siècle à Lyon, en France. Photo Archives de Lyon.

11 Rue du centre de Saana, au Yémen du Nord, où les immeubles sont édifiés en pierre (souvent pour l'étage du bas) et en terre crue. Photo d'André Biro, 1973.

12 Rue du centre de Santa Fe, capitale du Nouveau-Mexique aux États-Unis, fondée par les Espagnols. Photo de Pierre Moreau.

13 Vue aérienne du centre de Tabriz, en Iran. Photo de Georg Gerster/Rapho.

14 Vue aérienne du centre de Taizz, la deuxième ville en importance du Yémen du Nord. A l'avant-plan, la mosquée Al-Ashrafiyah, édifiée au XIXᵉ siècle. Photo de Christian Monty, 1975.

13

DE LA RURALITÉ
DES ARCHITECTURES DE TERRE

En dehors des villes, les cultures rurales ont perpétué à travers le monde des traditions de l'architecture en terre d'une telle diversité que l'inventaire en serait fastidieux. Si de multiples évidences en sont familières en Asie, en Afrique, au Moyen-Orient ou en Amérique latine, elles sont paradoxalement moins connues en Occident. Pourtant, des villages en terre existent aux États-Unis et surtout, par milliers, du nord au sud de l'Europe, des régions sèches de l'Espagne et de l'Italie aux contrées pluvieuses d'Angleterre et d'Allemagne, du Danemark ou de Suède. En France, où cette tradition représente au moins 15 % du patrimoine rural, on en trouve couramment les témoignages autour des villes de Lyon, Grenoble, Toulouse, Rennes, Reims ou Avignon et, non loin de Paris, autour de Chartres.

Dans tous ces villages, l'architecture de terre prend tour à tour les structures de groupements très compacts, parfois défensifs et d'apparence urbaine, ou d'habitats dispersés où s'expriment un individualisme plus marqué. Ce sont dans ces communautés rurales que les traditions, parfois millénaires, ont souvent été les mieux conservées, sans nécessairement se figer.

C'est ainsi, par exemple, que dans les saisissantes vallées pré-sahariennes du Maroc (celles du Draa et du Dadès en particulier), on trouve actuellement, d'une part, des villages (des ksour) très semblables à ce que furent sans doute les premières communautés urbaines de l'humanité en Mésopotamie et, d'autre part, des édifices récemment édifiés en terre et qui témoignent d'une évidente assimilation de divers archétypes architecturaux modernes ! L'architecture rurale de la terre poursuit ainsi sa vie et son évolution en exprimant de stimulantes synthèses des traditions et d'une certaine modernité.

1 Kasbah dans la vallée du Dadès, au Maroc. Photo d'Anne Moreau, 1962.

2 Village des Indiens Pueblos fondé vers 1250 et situé dans l'État du Nouveau-Mexique aux États-Unis. Photo Museum of New Mexico, Santa Fe, vers 1900; (cf. la photo n° 15, p. 55 réalisée en 1981).

3 Village de la région des Aurès, en Algérie. Photo de David Hickx, 1976.

4 Grange en pisé recouverte de chaume dans le Dauphiné (lac Paladru) en France. Photo de Patrice Doat et Hugo Houben, 1980.

5 Maison rurale fortifiée dans la région de Wadi Khabb, au Yémen du Nord. Photo de Pascal Maréchaux, 1980.

6 Ferme en pisé en Espagne. Photo de David Hickx, 1980.

7 Habitations rurales de l'ethnie Gurunsi, au village de Tiébélé en Haute-Volta. Photo de Bruno Français, 1981.

8 Habitation rurale dans la région de Xi'an (Shaan Xi) en Chine. Photo d'André Stevens, 1981.

9 Sanctuaire zoroastrien près de Taft, dans la région rurale de Yezd, en Iran. Photo de Jean-François Cheval/agence Roger Viollet, 1978.

10 Habitation rurale fortifiée (kasbah) de la région du Dadès, au Maroc. Photo de Karl-Heinz Striedter, 1969.

9

10

1

10
DE L'ORNEMENTATION
DES ARCHITECTURES DE TERRE

Les méthodes d'utilisation de la terre permettent de ne pas dissocier la matérialité et la spiritualité de l'acte de bâtir car il autorise la simultanéité et la synthèse des actions constructives et artistiques. Le plaisir intense que prennent les civilisations traditionnelles à manipuler l'ornement — comme autant de signes d'un élan vital — se traduit dans le génie créatif, artistique et décoratif des architectures de terre : gravé dans les murs ou appliqué en relief, il y est tour à tour abstrait, gestuel, géométrique, symbolique ou figuratif. Certaines techniques de construction en terre sont d'un usage relativement facile qui permet leur appropriation partielle ou totale par les habitants eux-mêmes.

Les murs sont souvent protégés par des enduits à base de terre qui unifient et protègent l'édifice : ils sont traditionnellement renouvelés chaque année, comme un rituel, après la saison des pluies. Le traitement des façades change ainsi cycliquement et peut varier à l'infini : la créativité de chacun confère aux murs leur richesse visuelle, tactile et sensuelle.

La construction en terre permet une fusion complète des créations architecturales et artistiques. L'ornement est ici organiquement lié aux murs avec une totale unité de matière; il est aussi indissociable de son support architectonique que de la communauté dont il émane.

2

6

7

1 Maison urbaine édifiée en 1947 dans la ville de Zinder au Niger. Photo de Michel Renaudeau, 1970.

2 Pilier fétiche de la galerie extérieure de la maison d'un chef de village en Côte-d'Ivoire. Photo de F.-X. Bouchart, 1977.

3 Ornementation des murs en terre des maisons de la ville de Oualata, en Mauritanie. Photo Musée ethnographique de Neuchâtel.

4 Détail ornemental d'une frise en « dentelle » de terre crue à la base de la coupole d'une mosquée à Djibla, au Yémen du Nord. Photo de Christian Monty, 1975.

5 Ornementations incisées dans les murs de terre, à Zinder. Photo de R. Gardi.

6 Fétiche mural sculpté dans le mur de terre d'une maison de l'ethnie Sénoufo en Côte-d'Ivoire. Photo de F.-X. Bouchart.

7 Église baroque du XVIIIᵉ siècle au Pérou. Photo d'Ovidio Oré, 1981.

8 Détail de la façade d'une maison traditionnelle dans l'ethnie Bozo au Mali, près de Mopti. Photo de Sergio Domian, 1981.

9 Étages supérieurs d'une kasbah près de El Kelâa des Mgouna dans la vallée du Dadès, au Maroc. Photo de Christian Lignon, 1981.

10 Mur d'entrée d'une maison de l'ethnie Songhaï en Haute-Volta. Photo de Bruno Français, 1980.

11 Mur ornemental traité par incision dans la terre, restauré sur le site de Chan-Chan, capitale de la civilisation Chimú, au XIIIᵉ siècle, au Pérou. Photo d'O. Oré.

12 Détail des ornements incisés dans les murs restaurés sur le site archéologique de Chan-Chan. Photo de D. Lavallée.

13 Hauts-reliefs en terre ponctuant les niches des murs extérieurs du palais des rois d'Abomey, au Dahomey. Photo Musée ethnographique de Neuchâtel, vers 1979.

14 Ornementation traditionnelle de la cour des maisons urbaines de Oualata, en Mauritanie. Photo Musée ethnographique de Neuchâtel, en 1975.

15 Détail du traitement ornemental des façades de Al Juba, au Yémen du Nord. Photo de Pascal Maréchaux, 1980.

16 L'émir devant le palais de Zaria, au Nigeria. Photo de F.-X. Bouchart.

13

1

11
DE LA SENSUALITÉ
DES ARCHITECTURES DE TERRE

Il y a dans l'acte de bâtir en terre une magie particulière due au fait même de pétrir l'élément le plus essentiel et le plus fécond de notre planète. Et cette fertilité du matériau semble produire chez nombre de ses usagers un élan créatif très particulier qui les porte à amplifier le plaisir de modeler cette matière vivante pour faire naître de leurs mains des rondeurs voluptueuses à caresser. Ainsi l'architecture redevient-elle tout à la fois l'expression d'une profonde pulsion créative et le spectacle d'un plaisir. Un plaisir des sens qui irradie l'espace domestique et l'espace communautaire d'une dimension érotique tant s'y trouve exaltée la liberté de concevoir des formes issues du ventre de la terre.

Ainsi parfois, comme au Mali, l'architecture de terre se prolonge-t-elle hors des contraintes techniques du bâtiment, dans une jouissance de la matière Première et une délectation sensuelle. Ce jaillissement culturel, les hommes et les femmes le transposent en un langage d'autant plus vivant et tonique qu'il est perpétuellement en devenir, toujours ré-enfanté : les formes de ce vocabulaire sculptural en sont remodelées, ré-interprétées, revitalisées chaque année après la saison des pluies, comme une fête rituelle. Création en prise directe sur la matière car elle ne nécessite ni instrument complexe, ni savoir académique ou technologique. Mais elle requiert le désir de participer, en harmonie avec l'héritage culturel et le génie du lieu, à la vitalité des traditions de la collectivité et à leur éternel renouveau.

2

3

1 Détail sculptural du traitement architectural des abords immédiats de la mosquée du Vendredi à San, au Mali. Photo de Marli Shamir, 1970.

2 Éléments sculpturaux de l'architecture de la mosquée de Sangha de l'ethnie Dogon, au Mali. Photo de Michel Andrault, 1974.

3 Détail d'un escalier d'une maison rurale de l'ethnie Gurunsi à Tiébélé, en Haute-Volta. Photo de Maurice Duval, 1979.

4 Détail des toitures-terrasses et des gargouilles des maisons de Sangha, ethnie Dogon au Mali. Photo de Stéphane Oriach, 1979.

5 Détail des murets de faîte bordant la toiture-terrasse de la grande mosquée de Djenné, au Mali. Photo de Monique Maneval, 1973.

6 Création d'un motif ornemental anthropomorphe en terre appliquée sur le mur d'une maison en Inde. Photo de Claude Sauvageot.

7 Cour intérieure et « puits de lumière » dans le château fort du Glaoui à Touarirt (Ouarzazate), au Maroc. Photo de Christian Lignon, 1981.

8 Pose de l'enduit de protection à base de chaux (gauss) sur les murs en terre d'une maison à Sanaa, au Yémen du Nord. Photo de Christian Monty, 1976.

9 Coupoles de la toiture du bazar au centre de la ville de Kashan, en Iran. Photo de Bruno Barbey/agence Magnum.

10 Coupoles des toitures couvrant le bazar de Yazd, en Iran. Photo d'André Stevens, 1976.

11 Tombeau de Sayid Merza Khoja près du village de Barfak, au nord de Baniyan en Afghanistan. Photo de Carollee Pelos et Jean-Louis Bourgeois, 1979.

12 Murs-sculptures sur la terrasse de la grande mosquée de Djenné au Mali. Photo d'Yvette Vincent Alleaume, 1974.

13 Sculptures architectoniques à l'entrée de la grande mosquée de Djenné, au Mali. Photo d'Yvette Vincent Alleaume, 1974.

4

5

12
DE LA HAUTEUR
DES BÂTIMENTS EN TERRE

Le premier « gratte-ciel » de notre histoire a-t-il été construit en terre ? Les recherches archéologiques récentes permettent de croire que la célèbre « Tour de Babel » fut bien édifiée avec ce matériau au cœur de Babylone au VIIe siècle avant notre ère. Son septième niveau semble avoir culminé à quelque 90 mètres de hauteur ! En Mésopotamie, de nombreuses villes étaient de toute évidence ponctuées par de vastes « ziggourats » en gradins, couramment élevées jusqu'à une quarantaine ou une cinquantaine de mètres de haut. Ces traditions historiques ont été relayées jusqu'à nos jours par des traditions populaires qui ont aussi fait usage de la terre crue pour édifier des bâtiments très hauts.

Les villages des vallées pré-sahariennes du Maroc (les ksour) ou les châtelets de la région (les kasbahs) s'élèvent encore sur quatre étages; de même pour les villages des Indiens d'Amérique du Nord, tel celui de Taos. Les hauts minarets des mosquées d'Afrique et du Moyen-Orient semblent, quant à eux, défier la pesanteur. Mais, de toutes les villes du monde construites entièrement en terre, Shibam au Yémen du Sud, est la plus étonnante par sa virtuosité. On l'appelle parfois le « Manhattan du désert » car ses 500 immeubles donnent l'impression d'une forêt de gratte-ciel : ils sont élevés jusqu'à 30 mètres de hauteur sur 8 niveaux. Si cette tradition urbaine yéménite est très ancienne, par contre, plus de la moitié de ces immeubles ont été construits au XXe siècle, prouvant ainsi la vitalité de ce savoir-faire et ses possibilités d'adaptation à l'urbanisation contemporaine.

1 Minaret d'une trentaine de mètres de hauteur ponctuant l'aire de prière de la grande mosquée d'Agadès fondée vers 1500 et réédifiée vers 1844, au Niger. Photo de Jacques Evrard, 1970.

2 Tour d'enceinte du ksar de Rbat El Ajar dans la vallée du Draa au Maroc. Photo de Christian Lignon, 1981.

3 Tours d'enceinte ponctuant l'entrée principale du ksar Igoulmime près de Goulmima, dans la vallée du Rhéris au Maroc. Photo de Christian Lignon, 1981.

4 Minaret de Hazrate Sale en Afghanistan. Photo de Roland Michaud/agence Rapho, 1976.

5 Le minaret de la mosquée Al Mikhdar à Tarim au Yémen du Sud semble défier la pesanteur. Photo de Jean-François Breton et Christian Darles, 1979.

6 Minaret d'une mosquée de la ville de Moka, au Yémen du Nord. Photo d'André Biro, 1978.

7 Façade de la mosquée du village de Koro, au Mali. Photo de Sylviane et Pierre Leprun, 1981.

8 Maison urbaine récente de cinq niveaux dans la ville de Shibam au Yémen du Sud. Photo de Christian Darles et Jean-François Breton, 1977.

5

6

7

8

1

13
DE LA GRANDEUR
DES BÂTIMENTS EN TERRE

Les ressources de la construction en terre permettent de construire des bâtiments hauts mais aussi des bâtiments vastes, aptes à accueillir les activités collectives des communautés urbaines ou rurales. Si les maisons des hommes constituent les cas les plus fréquents de construction en terre, avec ce même matériau, les « maisons de Dieu » expriment l'ampleur avec laquelle ces constructions peuvent se déployer dans l'espace. En terre on a construit des chapelles, des églises, des monastères mais aussi des cathédrales, telle celle de Lima, au Pérou. Aux États-Unis, la tradition de ces vastes nefs de terre s'épanouit au XVIIIe siècle avec la Mission San Xavier del Bac à Tucson, en Arizona, pour se prolonger jusqu'à nos jours avec l'église Christo Rey de Santa Fe, la plus vaste du pays édifiée en terre. La grande mosquée de Mopti construite en 1905 au Mali, représente sans doute le plus grand et le plus imposant des bâtiments publics élevés en terre crue durant ce siècle. Cet édifice, vaste et majestueux, a pourtant été réalisé grâce aux seules ressources des techniques traditionnelles : il constitue ainsi un défi monumental aux technologies modernes.

1 Église baroque du XVIIIe siècle, au Pérou. Photo d'Ovidio Oré, 1981.

2 Mausolée du village de Ghuraf dans la région de Wâdi Hadramout, au Yémen du Sud. Photo de Jean-François Breton et Christian Darles. 1978.

3 Intérieur de l'église de San Miguel édifiée par les Espagnols au Nouveau-Mexique, aux États-Unis. Photo de Malcolm Lubliner, 1980.

4 Remparts de la ville de Bam en Iran. Photo de Bruno Barbey/agence Magnum, 1978.

5 Église San Xavier del Bac fondée vers 1783 près de Tucson (Arizona), aux États-Unis. Photo de Jacques Evrard et Christine Bastin, 1981.

6 La prière du vendredi à la grande mosquée de Mopti, au Mali, reconstruite en 1935. Photo de Georg Gerster/agence Rapho, 1978.

4

5

1

14
DU CONFORT
DES ARCHITECTURES DE TERRE

Dans les maisons édifiées en terre règne souvent une singulière harmonie; elle est due à la fois au recours à un même matériau et à la qualité des espaces et des rythmes architecturaux que déterminent les règles traditionnelles de ses usages architectoniques.

Ainsi, il émane fréquemment de ces intérieurs — modestes ou princiers — une troublante spiritualité et une vivifiante sensualité. En traitant avec un matériau unique les murs et les voûtes, les piliers, les banquettes ou les cheminées et parfois même les étagères et les « meubles », ces architectures d'intérieur deviennent de véritables environnements artistiques associés aux rythmes de la vie quotidienne, des sculptures vivantes habitées par les hommes et par leur génie ornemental. Cette puissance créative est d'une autre nature dans les mosquées de terre dont l'espace est traité comme une forêt de piliers massifs qui scandent l'aire de prière et lui confère sa force émotionnelle.

Mais le confort des architectures de terre n'est pas seulement spirituel; il est aussi thermique ! Il y fait frais en été et chaud en hiver. Par leur nature, les murs épais en terre protègent des excès climatiques extérieurs et participent à une régulation thermique naturelle qui, traditionnellement, assure des économies d'énergie appréciables. C'est cette logique et cette sagesse que la réactualisation des architectures de terre permet de retrouver. Mais cette notion de « confort thermique », non quantifiable car psychologique, révèle le caractère culturel du processus mental qui amène les uns (souvent les privilégiés de la société) à apprécier la terre pour son caractère confortable et chaleureux, maternel et sécurisant, écologique et artistique, tandis que les autres (souvent les plus démunis) s'y sentent souvent enfermés dans un archaïsme qu'ils perçoivent comme un obstacle dans leurs aspirations sociales à consommer et à afficher des images plus matérielles du « progrès » moderne.

2

3

1 Intérieur de la mosquée de Zaria, au Nigeria. Photo de Allan Leary réalisée en 1970 avant les « modernisations » qui ont dénaturé ce lieu.

2 Vue vers le haut de la cour intérieure d'une maison à Tiflit (Imergham), au Maroc. Photo de David Hickx, 1969.

3 Intérieur d'une maison rurale construite en 1976 dans le village de Al Jubayriah, au Yémen du Nord. Photo de Werner Dubach, 1976.

4 Intérieur d'une maison de l'ethnie Haoussa, au Niger; les murs et les meubles sont entièrement « sculptés » en terre. Photo de Sylviane Leprun.

5 Salon d'une maison de Santa Fe, aux États-Unis. Photo Museum of New Mexico.

6 Intérieur de maison paysanne modeste du village de Younine, dans la région de la Bekace, au Liban. Photo de Jacques Liger-Bellair, 1972.

7 Salon de réception de la demeure d'un notable à Thula, au Yémen du Nord. Photo d'André Biro, 1978.

8 Intérieur de la salle de prière d'une mosquée rurale de la vallée du Draa, au Maroc. Photo de Karl-Heinz Striedter, 1970.

9 Intérieur d'une travée de la salle de prière de la grande mosquée de Djenné reconstruite en 1905 au Mali. Les piliers ont une quinzaine de mètres de hauteur. Photo de Samir El Sadi, 1978.

10 Salon de réception (mafrejd) d'une maison de notable dans la ville de Bouraïda au centre de l'Arabie Saoudite. Photo de Christian Monty, 1973.

11 Intérieur d'un couvent édifié au XVIIIe siècle à Popayan, en Colombie. Photo d'Ignacio Gomez Pulido, 1979.

12 Salon de réception d'une maison bourgeoise dans la région sud-ouest de l'Arabie Saoudite. Photo de Michael Earls, 1980.

10

11

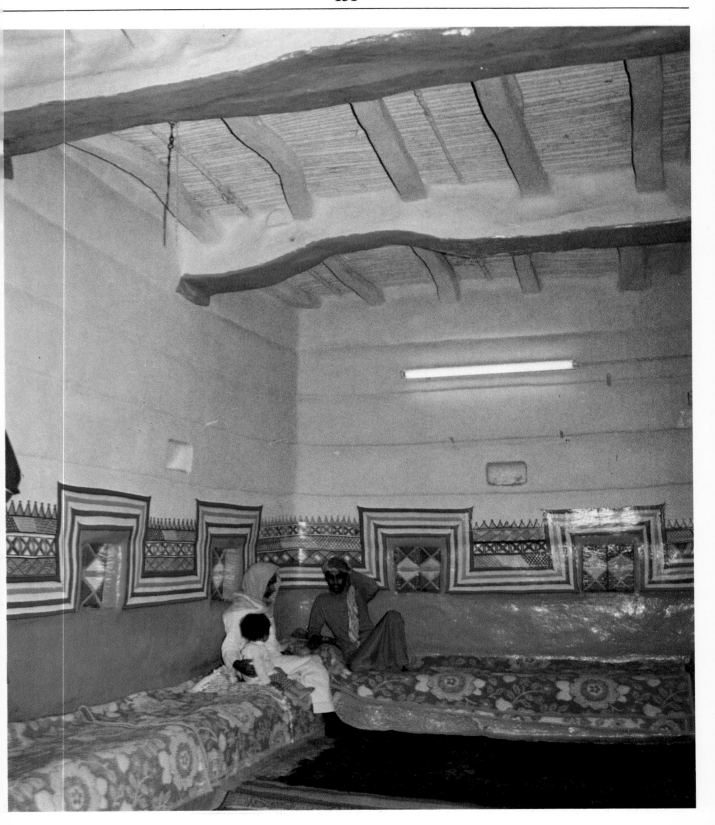

15

DE LA DÉCHÉANCE,
DE LA RÉHABILITATION
ET DE LA PERVERSION
DES ARCHITECTURES DE TERRE

Plus du tiers de l'humanité vit actuellement dans des habitats construits en terre. Globalement, dans la plupart des pays du Tiers-Monde, ces traditions sont encore vivaces car, à coût financier et social égal, la technologie moderne occidentale n'a fourni aucune alternative opérationnelle vraiment crédible à grande échelle pour résoudre le problème lancinant de l'habitat très économique. Dans les pays récemment enrichis par le pétrole (et parfois dans certaines régions d'autres pays du Tiers-Monde) cette tradition tend subitement à disparaître (comme ce fut le cas en Europe dès les années 30 ou 50) en faveur de la copie effrénée des stéréotypes architecturaux et des technologies massivement importées d'Occident qui, malgré leur notoire inadaptation climatique par exemple, bénéficient de la faveur des usagers qui les utilisent comme autant de signes d'une promotion sociale.

Inversement, dans le sud-ouest des États-Unis, certaines classes sociales aisées ré-actualisent depuis 1972 l'architecture de terre aussi bien à des fins communautaires que domestiques. Du fait même de ces alternances culturelles contrastées à l'égard de la terre, on assiste simultanément à des phénomènes divergeants : dans certaines régions du monde, le patrimoine et les savoir-faire traditionnels, sont laissés à l'abandon ou se meurent. Dans d'autres pays, les architectures de terre sont désormais considérées comme des témoignages importants du génie universel : elles sont classées, restaurées, protégées et les universités, comme diverses institutions régionales ou internationales, tentent de re-créer un lien vivant et opérationnel entre les traditions et la modernité. Mais cet engouement débouche parfois aussi sur la réalisation de parodies commerciales, sur la construction de bâtiments donnant l'illusion d'être bâtis en terre alors qu'ils ne sont pas édifiés avec ce matériau. Ces perversions sont néfastes car elles trahissent la nature et l'esprit même de ces architectures dont seules les traditions populaires ont toujours garanti globalement le bon usage et l'adaptation vivante aux circonstances les plus diverses.

1 Ksar abandonné et en ruine dans la vallée Ziz, au Maroc. Photo de Karl-Heinz Striedter, 1970.

2 Ksar de Tamezmoute dans la vallée du Draa, au Maroc. A l'arrière-plan, le château féodal désaffecté; à l'avant-plan, des maisons restaurées et modernisées en 1969 lors d'un programme de développement entrepris par les Nations-Unies. Photo de K.-H. Striedter.

3 Vestiges historiques du palais dit «El Badi» fondé à Marrakech, au Maroc, par le roi Ahmed el Mansour en 1578. Photo communiquée par A. Paccard.

4 Vestiges archéologiques de la «Ziggurat» d'Agar-Guf édifiée sous Kuzigalzu Ier (1390-1379 avant J.-C). Restauration entamée en 1942. Photo d'André Stevens, 1978.

5 L'Ancienne mosquée en terre est en ruine, car abandonnée en faveur d'une nouvelle édifiée en ciment à Bouna, en Côte-d'Ivoire. Photo de F.-X. Bouchart.

6 Ksar de Tissergate dans la vallée du Draa, restauré et modernisé en 1969 par la communauté, sous l'impulsion d'un programme de réhabilitation soutenu par les Nations-Unies. Photo de Christian Lignon en 1981.

7 Stoûpa édifié au XIIe siècle dans la cité de Qotcho (région de Tourfan) en Chine, récemment restauré et classé «monument historique». Photo d'A. Stevens.

8 Reconstitution à l'identique du temple d'Emach à Babylone, en Irak. Photo d'André Stevens, 1981; (cf. p. 22).

9 Mosquée du camp militaire des «Tirailleurs sénégalais» édifiée vers 1930 près de Fréjus, en France. Imitant les mosquées en terre du Mali, celle-ci est toutefois une pure parodie : elle est construite en béton. Photo de F.-X. Bouchart, 1980.

10 Hôtel de luxe édifié en 1980 au centre de Santa Fe, aux États-Unis. S'inspirant des formes et des rythmes architecturaux des villages des Indiens du Nouveau-Mexique, tel celui de Taos Pueblo (cf. photo 15, p. 55), ce bâtiment n'est toutefois qu'une parodie et une astuce commerciale : il est édifié en béton armé pour donner l'illusion d'une intégration culturelle régionale. Photo de P. Moreau.

16
DE LA MODERNITÉ DES TRADITIONS DES ARCHITECTURES DE TERRE

Au terme de ce parcours parmi quelques témoignages des traditions de l'architecture de terre dans une trentaine de pays, il apparaît souvent que celles-ci sont encore d'actualité. D'abord parce que quotidiennement vécues par le tiers de nos contemporains sur cette planète; ensuite parce que le recours à la fiabilité opérationnelle de ces traditions s'avère fréquemment très efficace et réaliste pour résoudre certains problèmes actuels d'habitat et parfois ceux de petits et moyens bâtiments publics ou communautaires. Ainsi serait-il erroné d'établir en ce domaine une barrière artificielle entre les traditions et la modernité comme l'ont fait certaines élites il y a un demi-siècle : pour faire « table rase » de l'histoire et nous plonger dans une ère d'amnésie et d'intolérance culturelle elles nous ont imposé leurs schémas stéréotypés et « passe partout » d'un « progrès à tout prix » qui, en architecture, avait pris la forme d'un impérialisme nommé « style international ».

Inversement, il convient de ne déployer une quelconque nostalgie à l'égard de ces traditions, ni de les brandir comme des alternatives prêtes à consommer. Les traditions culturelles ne constituent pas des objets figés dans le temps; elles doivent être constamment revisitées, ré-interprétées et ré-appropriées pour créer un lien de continuité vivant entre l'histoire populaire et les nécessités locales de l'actualité. C'est ce que certains architectes de l'ère moderne ont tenté de faire pour répondre aux besoins de programmes contemporains d'équipement et d'habitat. Ce sont les travaux souvent récents de ces pionniers qu'il nous faut maintenant découvrir pour compléter cet aperçu des traditions et apprécier comment la construction en terre est dès maintenant appelée à de nouvelles destinées. En effet, ce phénomène apparaît déjà comme un étrange paradoxe de notre histoire : un cas de fécondation de l'avenir par des méthodes inventées il y a près de 10 000 ans pour construire les premières villes de l'humanité et dont le savoir-faire est parvenu jusqu'à nous grâce aux constants relais des traditions populaires des sociétés pré-industrielles.

ECOLE D'ARCHITECTURE RURALE

3   4

1 Villa moderne d'inspiration traditionnelle édifiée vers 1930 dans la ville de
Timimoun, au Sahara, en Algérie. Photo
de Karl-Heinz Striedter, 1975.

2 Dessin aquarellé de l'architecte Hassan
Fathy relatif à une villa édifiée en Égypte
vers 1960. Photo de Christine Bastin.

3 et **4** L'architecture « traditionnelle » est
parfois très « moderne » d'apparence et de
conception : c'est le cas de cette maison
urbaine à Agadès, au Niger, construite en
1959. Inversement, ce projet de l'architecte
François Cointeraux évoque une « histoire » lointaine alors qu'il constitue, en
1789, le premier essai connu de rationalisation « moderne » des techniques du pisé.
Photos de Jacques Evrard, 1970.

5 La grande mosquée de Mopti, au Mali,
réédifiée en 1935. Photo de René Gardi.

6 Maison urbaine bâtie au XIXe siècle en
« territorial style » au centre de Santa Fe
aux États-Unis. L'édifice est construit en
terre; seule la structure auto-portante de la
pergola en façade est en bois. Photo de
Pierre Moreau, 1979.

7 Maisons construites vers 1970 à Tamezmoute, dans la vallée du Draa, au Maroc.
Photo de Christian Lignon, 1981.

ACTUALITÉ ET AVENIR DES ARCHITECTURES DE TERRE

LES TRAVAUX
DES PREMIERS PIONNIERS
EN EUROPE DÈS 1789

Pages précédentes Vue panoramique d'un îlot du quartier d'habitat sub-urbain de « la Luz » construit en 1974 dans la banlieue d'Albuquerque, aux États-Unis, par l'architecte Antoine Predock. Photo de Jacques Evrard et Christine Bastin, 1981; (cf. pp. 178-181).

1 Nouveau village de Milton Abbas construit en 1773 dans la région du Devon en Angleterre à l'initiative du comte de Dorchester qui semble en avoir confié la conception aux architectes William Chambers et Capability Brown. Photo de Gillian Darley, 1978.

2 Immeuble construit sur 6 niveaux au XIXe siècle dans la ville de Weilburg en Allemagne par l'architecte Wimpf, sous l'influence des travaux de François Cointeraux. L'immeuble est toujours en parfait état, en 1981. Photo CRATerre.

3 Première page de l'ouvrage publié à Paris en 1790 par l'architecte François Cointeraux et sous-titré *Leçons par lesquelles on apprendra soi-même à bâtir solidement les maisons de plusieurs étages avec de la terre seule.*

4 L'architecte Wimpf a édifié en Allemagne à Weilburg, au XIXe siècle, une vaste usine en pisé de terre qui s'inspire directement des théories et études publiées à Paris par François Cointeraux entre 1789 et 1815, et en particulier de son projet de manufacture (cf. photo 7) élaboré en 1790. Photo CRATerre.

5 Maisons adaptées aux diverses classes sociales après la Révolution française de 1789. Cette double illustration est la plus connue parmi les dessins d'architecture de terre élaborés par François Cointeraux. Le texte d'accompagnement insiste sur l'adaptation d'un modèle d'habitation aux besoins spécifiques des usagers : « maison de terre (ou pisé) décorée » et « même maison de terre (non décorée !) sortant de la main de l'ouvrier ».

6 Plan et élévation d'une manufacture conçue par l'architecte François Cointeraux en 1790 pour être édifiée en « pisé de terre ».

ÉCOLE D'ARCHITECTURE RURALE, *ou* LEÇONS. Par lesquelles on apprendra soi-même à bâtir solidement les maisons de plusieurs étages avec la terre seule, ou autres matériaux les plus communs et du plus vil prix.

OUVRAGE DÉDIÉ AUX FRANÇAIS,

Par FRANÇOIS COINTERAUX, *ancien Estimateur d'immeubles de la campagne, ou ancien Expert et Arpenteur Juré, Maître Maçon, Agriculteur, et Architecte.*

A PARIS,

Chez l'Auteur, grande rue Verte, fauxbourg Saint-Honoré, N°. 15; ou dans son atelier, même fauxbourg, au Colisée, près des Tuileries. Et chez les principaux Libraires de Paris et des provinces.

Mars 1790.

2

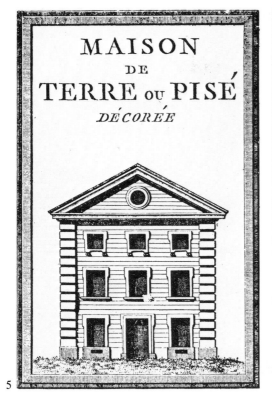

MAISON
DE
TERRE ou PISÉ
DÉCORÉE

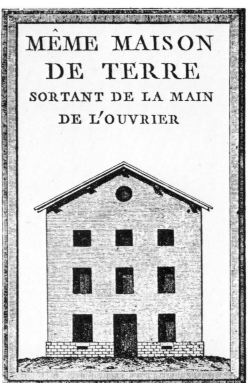

MÊME MAISON
DE TERRE
SORTANT DE LA MAIN
DE L'OUVRIER

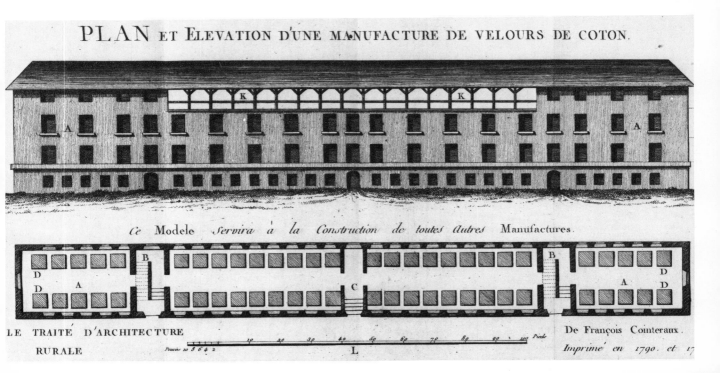

PLAN ET ELEVATION D'UNE MANUFACTURE DE VELOURS DE COTON.

Ce Modele servira à la Construction de toutes autres Manufactures.

LE TRAITÉ D'ARCHITECTURE
RURALE

De François Cointeraux.
Imprimé en 1790. et 17

**PREMIÈRES
VILLAS SUB-URBAINES
ET MAISONS DE CAMPAGNE
EN EUROPE ET AUX ÉTATS-UNIS**

1 Cottage construit vers 1920 à Budleigh Salterton, dans le Devon en Angleterre, par l'architecte Ernest Gimson. Photo de Christian Besnard.

2 Maison suburbaine édifiée vers 1920, en Allemagne. Photo de L. Christians.

3 Maison construite au XIXᵉ siècle dans le sud-ouest des États-Unis. Photo Museum of New Mexico, Santa Fe.

4 Villa édifiée vers 1910 en Norvège. Photo de Christian Besnard.

5 Maison édifiée vers 1885 près de Zurich, en Suisse. Photo de Christian Besnard.

6 Villa victorienne, « Castle Huning », édifiée en 1883 à Albuquerque au Nouveau-Mexique, aux États-Unis. Photo Albuquerque Art Museum.

7 Projet de maison de campagne conçu au XVIIIᵉ siècle par l'architecte français Claude Nicolas Ledoux. Photo de Christian Besnard.

5

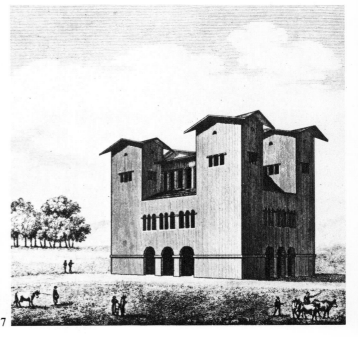

7

L'ARCHITECTURE MODERNE EN TERRE SELON LE CORBUSIER FRANK LLOYD WRIGHT ET SCHINDLER

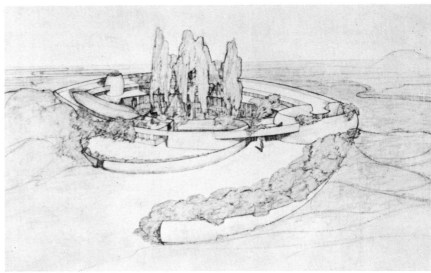

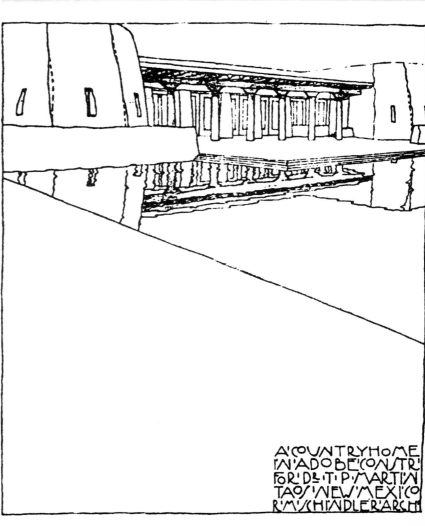

1 Projet de villa à El Paso dans l'État du Texas, aux États-Unis, conçue en 1942 par l'architecte Frank Lloyd Wright (1869-1959) qui élabora à cette période d'autres projets de maisons destinées à être construites en adobe. Photo Frank Lloyd Wright Foundation.

2 Projet de résidence de campagne à Taos aux États-Unis conçue en 1915 par l'architecte autrichien Rudolph Schindler (1887-1953) lors de son séjour dans l'État du Nouveau-Mexique où il fut impressionné par les qualités architecturales des diverses traditions de cette région du Sud-Ouest américain. Photo de Christian Besnard.

3 Croquis extraits de la série de dessins élaborés en 1940 par l'architecte Le Corbusier et publiés en 1941 dans l'ouvrage intitué *Les Murondins* et dédié à « mes amis, les jeunes de France ». Documents : Fondation Le Corbusier.

LE CORBUSIER

LES **M**AISONS "**M**URONDINS"
PETIT CADEAU A MES AMIS, LES JEUNES DE FRANCE

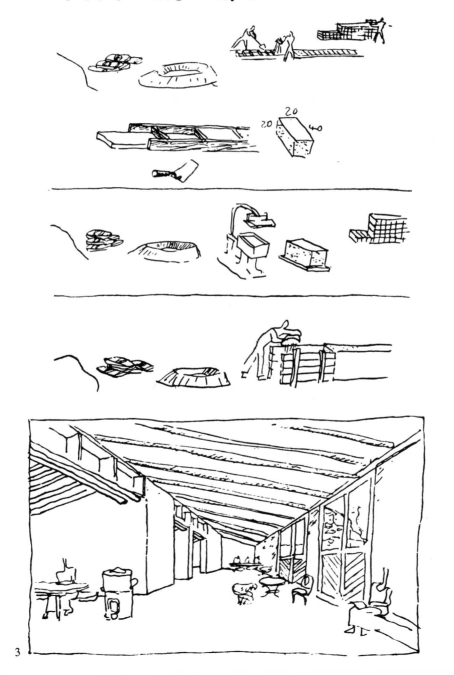

3

RENOUVEAU TECHNOLOGIQUE DANS LE TIERS-MONDE ET AUX ÉTATS-UNIS

1 et **2** Quartier expérimental d'habitat urbain réalisé en 1968 à Ouarzazate, au Maroc, à l'initiative de l'ingénieur français Alain Masson et de l'architecte belge Jean Hensens. Photos de Alain Masson.

3 Groupe expérimental d'habitations rurales édifiées en 1972 à Zeralda, en Algérie, par une équipe franco-belge d'architectes et d'ingénieurs : Hugo Houben, Paul Pedrotti et Dirk Belmans. Photo de Paul Pedrotti, 1973.

4 et **5** En Iran, l'architecte Nader Khalili cherche depuis 1980 à revitaliser les traditions des architectures en terre crue longtemps méprisées sous le règne du Shah en faveur d'une importation massive des modèles et des matériaux occidentaux. A titre expérimental, il a mené divers chantiers de restauration ou de construction où, lorsque les maisons sont achevées, il vitrifie les murs intérieurs en allumant de grands feux dans les diverses pièces. Ce recours aux éléments essentiels de la création : la terre, l'eau, l'air et le feu, confère à cette architecture un caractère quasi-mystique dont les leaders religieux de la révolution islamique apprécient la « pureté ». Photos de Nader Khalili.

6 La presse manuelle « Cinva-Ram » a été mise au point et brevetée en 1957 par l'ingénieur Paul Ramirez, en Colombie, pour un organisme d'habitat social, le CINVA. Cet engin simple fut le premier du genre à permettre l'amélioration et l'accélération de la production de parpaings de terre crue stabilisée plus résistants que les briques traditionnelles d'adobe moulées à la main. Photo réalisée au Mali en 1981 par Jean-Claude Pivin.

7 Fabrication en série semi-industrielle de briques de terre stabilisée dans une petite unité de production de l'État du Nouveau-Mexique, aux États-Unis, en 1981. Photo de Jacques Evrard.

5

7

**UNE MOSQUÉE
CONSTRUITE EN 1981
AUX ÉTATS-UNIS
PAR UN ARCHITECTE
ÉGYPTIEN**

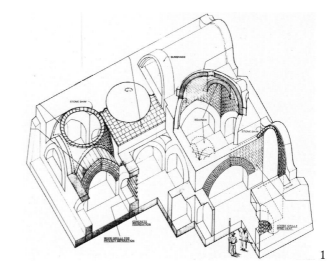

1

1 Dessin axonométrique de la mosquée édifiée en 1981 par l'architecte égyptien Hassan Fathy à Abiquiu dans l'État du Nouveau-Mexique aux États-Unis. Dessin communiqué par la revue américaine *Adobe Today;* (cf. p. 157).

2 et **3** Chantier de la mosquée réalisée à Abiquiu aux États-Unis en 1981 par Hassan Fathy. Cette opération fut jumelée avec divers stages d'initiation technologique à l'usage des architectes américains afin de les familiariser aux méthodes de construction traditionnelles récemment rationalisées en Égypte et permettant de construire sans coffrages et en terre crue des coupoles (cf. p. 61) et des voûtes dites « nubiennes » (cf. p. 60). Cette opération eut un impact psychologique remarquable aux États-Unis car les citoyens de ce pays ne sont guère préparés à l'idée qu'ils puissent bénéficier d'une « assistance technique et culturelle » de la part d'un pays du Tiers-Monde. Photos de Jacques Evrard et Christine Bastin, 1981.

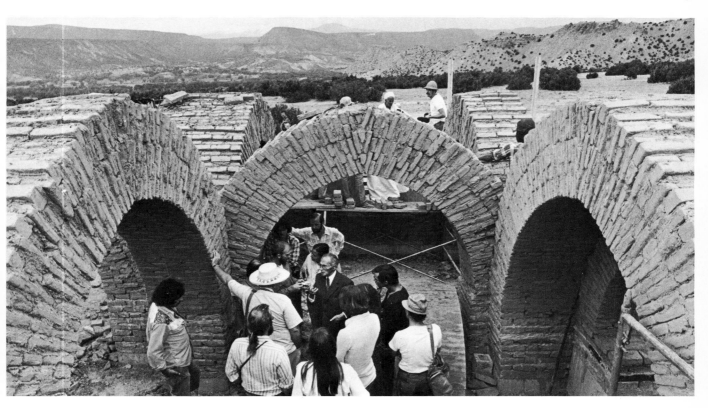

UN CENTRE MÉDICAL
A MOPTI
AU MALI

1

1 et **2** Centre médical édifié en 1976 à Mopti, au Mali, sur un terrain situé entre la grande mosquée (rebâtie en 1935) et le fleuve Niger. L'architecte français André Ravereau et l'architecte belge Philippe Lauwers ont entrepris cette réalisation pour le ministère malien du Plan sous l'égide du Fonds Européen de Développement (F.E.D.), une émanation de la Communauté Économique Européenne. Cette institution internationale tente depuis peu, notamment sous l'impulsion de son architecte-conseil, Marc Wolf, de promouvoir dans les pays du Tiers-Monde une technologie mieux adaptée aux spécificités culturelles, techniques et sociales locales. C'est la qualité et la justesse de la réponse à ces problèmes délicats qui ont justifié en 1980 le choix de cette réalisation exemplaire pour récompenser leurs auteurs par un des dix prix du « Agha Khan Award », fondé par l'Agha Khan pour promouvoir dans les pays musulmans la qualité architecturale et une synthèse nouvelle entre traditions et modernité. Photos de Sergio Domian en 1981 et d'Emmanuelle Roche en 1979.

2

DEUX HOPITAUX
EN AFRIQUE

1 Maquette de l'extension de l'hôpital de Kaedi destiné à être construit en Mauritanie dès 1982 sous la conduite de l'architecte yougoslave Dusan Stanimirovic du groupe français « Ciet-Inter-G » et sous l'égide du Fonds Européen de Développement (cf. pp. 158 et 159). Photo Biaugeaud, 1980.

2 à **6** Hôpital régional d'Adrar au Sahara, en Algérie, réalisé en 1942 par l'architecte français Michel Luyckx, élève et disciple d'Auguste Perret. Ce bâtiment constitue la première synthèse réussie au xxe siècle entre les apports des techniques traditionnelles améliorées et la volonté d'un langage architectural sans connotations folklorisantes. De plus, ce bâtiment s'est révélé, après 40 ans d'utilisation, très fiable sur le plan technique et climatique. De ce fait, Michel Luyckx fut un pionnier important.

Ci-contre : vues du chantier en cours d'achèvement (3 et 5), la tour du château d'eau enrobé de terre crue pour éviter son échauffement (6), la façade de la chapelle de l'hôpital (2), et la maquette de l'ensemble du complexe hospitalier (4). Photos de Michel Luyckx, 1944 et 1946.

Ci-dessous, le plan d'ensemble de l'hôpital avec au centre la structure cruciforme du château d'eau.

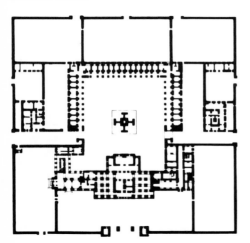

6

TROIS HOTELS
EN AFRIQUE
ET AUX ÉTATS-UNIS

1 et **4** Salon et chambre de l'hôtel « Sagesbrush Inn » édifié vers 1930 à Ranchos de Taos, dans l'État du Nouveau-Mexique, aux États-Unis. Son architecture chaleureuse a assuré sa renommée et son succès. Photos de Jacques Evrard, 1981.

2 Hôtel « Salt Lick Game Lodge » édifié au Kenya dans le parc national Tsavo à 150 km de Mombassa. Photo de Bernard Mailles, 1980.

3 « Hôtel de l'oasis rouge » édifié au centre de la ville nouvelle de Timimoun au Sahara, en Algérie, vers 1930. Photo d'Anne Rochette, 1981.

**AU SÉNÉGAL :
UN CENTRE DE FORMATION**

**EN MAURITANIE :
UN CHANTIER-PILOTE
DE FORMATION**

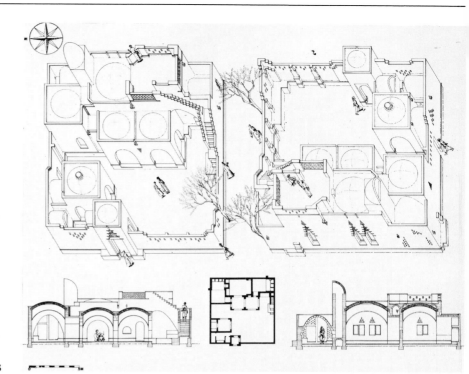

1 Vues axonométriques, plan et coupes d'un prototype de logement urbain édifié à Rosso en Mauritanie en 1979 sous la conduite de l'architecte français Serge Theunynck membre du groupe international de l'ADAUA (Atelier pour le Développement d'une Architecture et d'un Urbanisme Africains). Ce chantier a eu un rôle pilote d'initiation et de formation des ouvriers locaux afin de les familiariser avec les techniques spécifiques de construction des murs, des voûtes et des coupoles en brique de terre crue afin de permettre la diffusion de ces procédés au sein de la communauté urbaine et d'entraîner leur appropriation dans un processus dynamique d'autoconstruction de divers quartiers d'habitat populaire. Documents redessinés en 1981 par Dominique Pidance et Alain Le Balh.

2 à 4 Vue de divers bâtiments du Centre de Formation Agricole édifié sous l'égide de l'UNESCO pour le ministère de l'Éducation à Nianing, au Sénégal, en 1977, par l'architecte belge Oswald Dellicour. Les ressources du sol ont été utilisées pour réaliser in situ ces bâtiments. Cette réalisation a reçu elle aussi en 1980 (cf. pp. 158-159) un des prix du « Agha Khan Award » qui encourage l'adaptation des architectures aux divers particularismes locaux du site. Photos d'Oswald Dellicour, 1979.

**TROIS INSTITUTIONS
CULTURELLES
AU MALI ET
AUX ÉTATS-UNIS**

1 à 3 Esquisse préalable, vue du chantier et aspect final du Musée des Beaux-Arts, un département du « Museum of New Mexico », édifié au centre de Santa Fe aux États-Unis, en 1917, par les architectes américains Rapp et Rapp. Directement inspiré par l'architecture historique du couvent et de l'église d'Acoma, ce musée eut alors un important rôle de stimulation pour ce qu'on appelle le « Santa Fe revival style » dont le formalisme nostalgique apparaît aujourd'hui comme une parodie esthétique. En effet si ce bâtiment se propose de revaloriser l'architecture de terre crue il est toutefois, paradoxalement, construit en briques cuites cachées par un enduit de ciment ! Photos « Museum of New Mexico », 1917 et 1920.

4 Musée National du Mali inauguré à Bamako en 1981 et conçu par l'architecte français Jean-Claude Pivin avec les conseils muséographiques de Pierre Gaudibert. Photo de Jean-Claude Pivin, 1981.

5 Annexe du musée des Beaux-Arts de Santa Fe, aux États-Unis : la bibliothèque historique. Photo de Pierre Moreau, 1980.

**QUATRE
CENTRES DE RECHERCHE
EN AFRIQUE
ET EN EUROPE**

1 Détail de la façade du centre artisanal régional édifié en 1979 par l'architecte français Jean-Paul Ichter à Er Rachidia, au Maroc. Ce bâtiment combine habilement diverses techniques de construction : fondations en pierre, murs porteurs en pisé de terre, remplissage des vides avec des claustras ornementaux traditionnels réalisés en brique de terre crue et dalle de toiture en béton armé dont les poutres débordent en façade. Photo d'Anne Moreau, 1980.

2 à 5 Projet de concours organisé en 1981 pour l'édification à l'école d'architecture de Marseille-Luminy en France, d'un centre de recherche technologique destiné à être construit en terre crue. Ce projet est dû aux architectes français Serge Theunynck (cf. p. 164), Nicolas Widmer, Paul Wagner, Luc Gauthier et au thermicien Daniel Favre. Plans et dessins des architectes.

6 Projet de centre de recherche pour la mission archéologique américaine à Karnak, en Égypte, conçu en 1976 par l'architecte californien George Homsey. Ce projet a été lauréat en 1979 du prix annuel décerné par la revue d'architecture américaine, *Progressive Architecture*. Dessin de Jerry Kuriyama.

7 Vue partielle du centre de recherche de la mission archéologique française édifié à Karnak en Égypte, notamment par l'architecte français Jacques Vérité. Photo de Jacques Evrard, 1980.

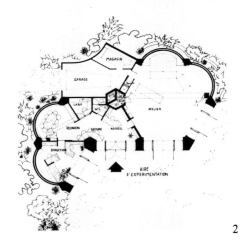

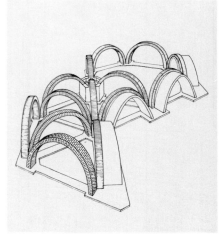

2

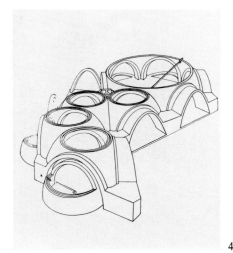

4

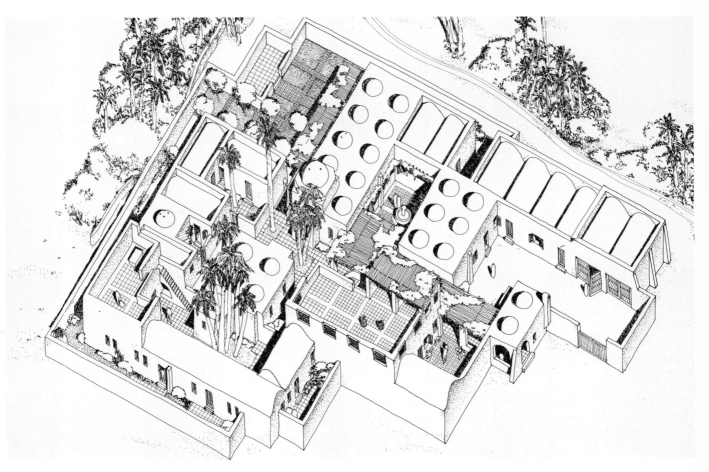

**DEUX CHAPELLES
UNE ÉGLISE
ET UN MONASTÈRE
AUX ÉTATS-UNIS**

1

1 Chapelle édifiée à Nambe Pueblo dans l'État du Nouveau-Mexique aux États-Unis, vers 1979. Photo de Jacques Evrard, 1981.

2 Chapelle édifiée vers 1930 sur le campus de l'université du Nouveau-Mexique, à Albuquerque, aux États-Unis. Photo d'Anne Moreau, 1979.

3 et **5** Vues intérieure et extérieure de l'église « Christo Rey » conçue en 1940 par l'architecte américain John Gaw Meem à Santa Fe, au Nouveau-Mexique. Ce bâtiment est le plus vaste édifice public moderne édifié en terre crue aux États-Unis. Sa construction a nécessité la production in-situ de 180 000 briques d'adobe. Photos de Christine Bastin, 1981.

4 Ce monastère a été édifié vers 1976 dans l'État du Nouveau-Mexique aux États-Unis, d'après les plans de George Yakashima. Il constitue un exemple d'architecture monumentale récente qui, tout en utilisant la terre crue comme matériau de construction, se refuse à entériner les archétypes formels hérités des traditions régionales pour rechercher une expression plastique plus contemporaine. Photo de Mark Chalom, 1978.

2

3

GOURNA :
UN NOUVEAU VILLAGE
EN ÉGYPTE

1 Portrait de l'architecte égyptien Hassan Fathy réalisé par Jacques Evrard en 1980, à son domicile au Caire, en présence de son chat.

2 Plan d'ensemble de l'agglomération rurale de New Gourna édifiée par Hassan Fathy, en Égypte, à partir de 1946. Les graphismes blancs représentent les diverses formes étudiées pour les îlots d'habitat groupé (cf. photo 3). Au centre du village, les divers espaces noirs seront consacrés à l'implantation de nombreux bâtiments publics.

3 Vue extérieure d'une maison de l'agglomération de New Gourna (cf. plan n° 2), édifiée en Égypte par Hassan Fathy. Photo de Jacques Evrard, 1980.

4 Plans et façades de divers groupes de logements conçus vers 1950 par Hassan Fathy pour l'agglomération de New Gourna. Dessin de l'architecte.

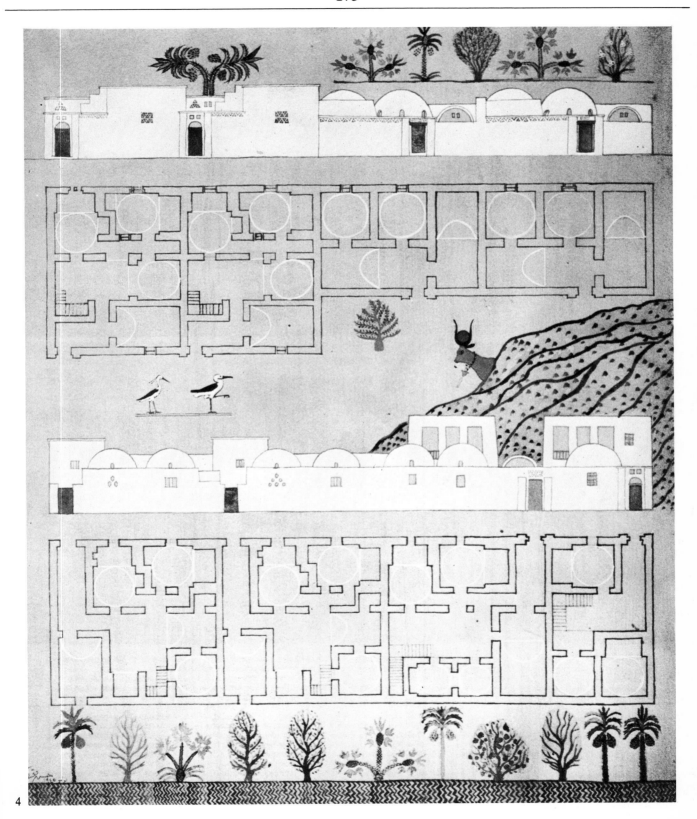

4

ARCHITECTES
ET MAISONS
D'ARCHITECTES

1 à **3** Vues intérieure et extérieures d'une villa édifiée en 1980 près de Louxor en Égypte par l'architecte français Olivier Sednaoui en collaboration avec David Sims. Cette vaste demeure constitue un des premiers exemples d'architecture domestique bourgeoise édifiée par un architecte dans le Tiers-Monde. Photos de Christine Bastin, 1981.

4 et **5** L'architecte égyptien Hassan Fathy (en haut) et le maître-maçon nubien Aladin Moustapha. Photos de Jacques Evrard.

6 Vue de la maquette d'un projet de maison anthropomorphe destinée à être construite en terrasses de terre et conçue en 1975 par l'architecte français Guy Rottier. Photo de l'architecte.

7 à **9** Conçue par l'architecte français Roger Katan et l'architecte colombienne Margareta Pacheco, cette maison (dont on voit ici une des chambres) a été édifiée en 1977 à Sélingué, au Mali. De vifs préjugés subsistent à l'égard de la construction en terre crue perçue, à tort, comme « pauvre » et « primitive ». Ceux qui la préconisent sont parfois soupçonnés de renoncer aux bienfaits du « progrès moderne » et de la technique industrielle. Pour prouver l'inverse ces architectes ont édifié leur propre maison en terre crue. Portraits par Anne Moreau, 1980, et photo de la maison par Sergio Domian, 1981.

1

6

9

3

UNE COOPÉRATIVE AGRICOLE D'HASSAN FATHY EN ÉGYPTE

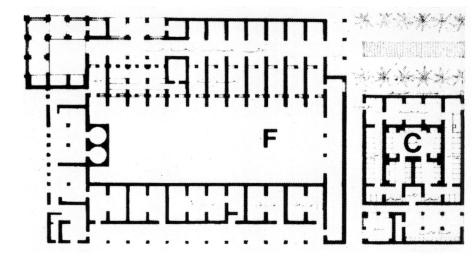

1 à **5** Coopérative agricole édifiée à Baris dans l'oasis de Kharga, en Égypte, par l'architecte Hassan Fathy. L'usage modernisé des « voûtes nubiennes » (photo 6 p. 60) y est généralisé ainsi que les principes de ventilation transversale des bâtiments pour y assurer une climatisation naturelle, permanente et efficace. Photo de Jacques Evrard et Christine Bastin, 1980.

Ci-dessous : plan masse de l'agglomération de Baris et deux coupes transversales de la coopérative agricole mettant en évidence le principe de la ventilation naturelle des bâtiments. Plans d'Hassan Fathy.

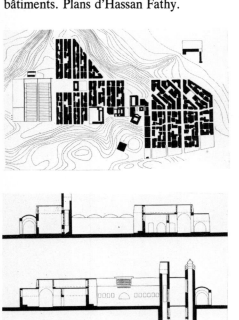

**LA LUZ :
UN QUARTIER URBAIN
A ALBUQUERQUE
AUX ÉTATS-UNIS**

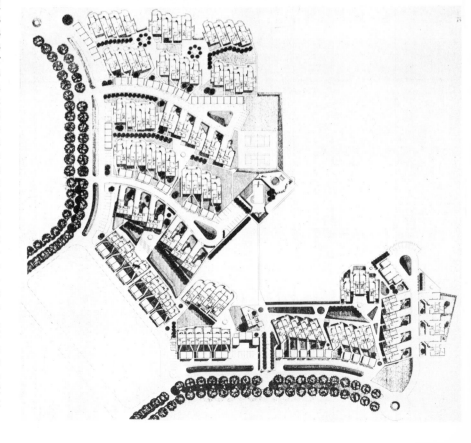

2

1 à 9 Aux États-Unis, l'engouement actuel en faveur d'une réactualisation des constructions en terre crue ne donne pas lieu seulement à des maisons individuelles mais aussi à des réalisations d'ampleur urbaine : l'architecte américain Antoine Predock (2) a achevé en 1975 dans la banlieue de la ville d'Albuquerque, au Nouveau-Mexique ce quartier d'habitat suburbain de « la Luz » qui groupe 100 logements luxueux (3, 4 et 5). « La Luz » est une réalisation exemplaire car elle prouve que l'on peut réaliser de grandes opérations modernes d'habitat urbain en terre crue et que des promoteurs peuvent parfaitement cautionner ce matériau et l'utiliser avec intérêt. Elle prouve aussi que l'architecture de terre peut s'adapter aux expressions culturelles les plus traditionnelles comme aux plus modernes. Cette réalisation est considérée comme un témoignage majeur de la culture américaine contemporaine : elle est classée au « National Register of Historic Places ». Les murs, élevés en briques d'adobe enduites, sont ceinturés dans leur partie haute par un chaînage en béton qui se prolonge en dalle de toiture. Plan et photo aérienne d'Antoine Predock; portrait de l'architecte et photos des maisons par Jacques Evrard et Christine Bastin, 1981.

MAISONS SOLAIRES EN TERRE AUX ÉTATS-UNIS

1 et **5** Vue d'une maison en terre (Harisson residence) exploitant de manière « passive » l'énergie solaire (« passive solaradobe ») édifiée en 1979 à Santa Fe (Nouveau-Mexique), aux États-Unis, par l'architecte américain Adrien Dewint. Photos de Jacques Evrard et Christine Bastin, 1981.

2 Maison en terre semi-enterrée à captage solaire passif édifiée en 1980 prés de Santa Fe, aux États-Unis, par les architectes Georgine et John Mac Gowan. Photos de Christine Bastin, 1981.

3 et **4** Maison en adobe édifiée en terrasses pour mieux exploiter les ressources du captage passif de l'énergie solaire; cette maison (Karen Terry House) a été réalisée en 1975 à Santa Fe, aux États-Unis, par David Wright, un des pionniers américains de l'architecture bio-climatique. Photo de Jacques Evrard, 1981.

6 et **7** Vue extérieure et intérieure de la maison (Balcomb residence) édifiée en 1978 à Santa Fe, aux États-Unis, par l'architecte William Lumpkins qui fut l'un des premiers aux États-Unis, bien avant la crise de l'énergie, à chercher à revitaliser et moderniser les traditions régionales de l'architecture de terre. Photos de Jacques Evrard, 1981.

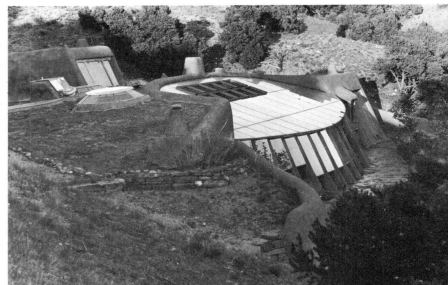

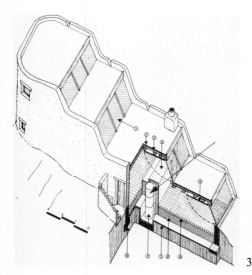

3

5

6

7

NOUVEAUX
VILLAGES AGRICOLES
EN CHINE ET EN ALGÉRIE

1 Plan d'ensemble d'un nouveau village agricole construit en terre vers 1960 dans une commune de Chine dans le cadre des actions de développement régional menées sous l'égide du mot d'ordre « il ne faut compter que sur nos propres ressources ». Plan communiqué par André Stevens.

2 à 5 Nouveau village agricole de Maadher, près de M'Sila en Algérie construit en parpaings de terre stabilisée en 1980 par deux architectes, les frères El Miniawy. Photos de Jacques Evrard, 1981.

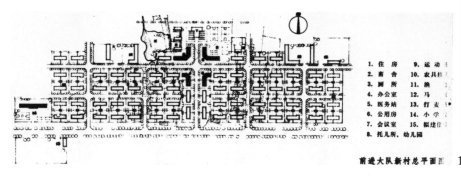

VILLAS
ET CENTRE COMMUNAUTAIRE
AUX ÉTATS-UNIS

6 et 7 Vues intérieure et extérieure de la villa de grand luxe construite en terre crue en 1980 près de Taos, dans l'État du Nouveau-Mexique, aux États-Unis, par l'architecte William Lumpkins. Photos de Jacques Evrard et Christine Bastin, 1981.

8 Intérieur d'une villa bioclimatique construite en terre crue près de Santa Fe dans l'État du Nouveau-Mexique, aux États-Unis, par l'architecte américain Robert Peters en 1979. Photo communiquée par l'architecte.

9 Intérieur de la salle de méditation du centre communautaire de la « Lama Foundation », édifié en terre dans l'État du Nouveau-Mexique, aux États-Unis, vers 1973. Photo de Jacques Evrard, 1981.

5

DES CITÉS OUVRIÈRES
AUX VILLES NOUVELLES

1 Avenue résidentielle du camp de Fort Davis construit aux États-Unis, dans l'État du Texas, au XIXe siècle. Les maisons construites en terre crue sont prolongées à l'extérieur par des vérandas dont la toiture est seule supportée par des piliers en bois. Photo de Robin K. Laughlin, 1980.

2 et **3** Ordonnances architecturales au centre de la ville nouvelle de Timimoun construite vers 1930 dans le Sahara, en Algérie. Photos de Karl-Heinz Striedter.

4 Cité ouvrière édifiée en pisé de terre en 1882 à Saint-Siméon de Bressieux dans la région de Grenoble, en France. Ces bâtiments dont l'architecte n'a pas encore été identifié constituent un des témoignages les plus essentiels de l'influence des théories et propositions de l'architecte français François Cointeraux entre 1789 et 1815 (cf. photo 7, p. 149). Ce témoignage important de l'architecture industrielle moderne en « pisé de terre » a été découvert en 1981. Le groupe CRATerre de Grenoble (spécialisé dans l'étude et la diffusion de ce mode de construction) propose son classement et sa protection urgente comme « monument historique » et témoignage de la culture populaire et technique spécifique à cette région en France. Photo de Patrice Doat et Hugo Houben, 1981.

5 Mosquée édifiée vers 1930 au centre de la ville nouvelle de Timimoun au Sahara, en Algérie. Photo de Karl-Heinz Striedter.

Ci-dessous : plan de la ville nouvelle de Timimoun, Algérie.

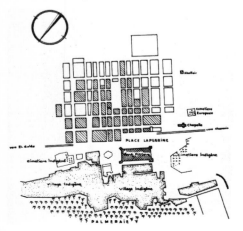

4

5

DES ARCHITECTURES DE TERRE
TABLE DES MATIÈRES

REMERCIEMENTS

Nous tenons à remercier chaleureusement toutes celles et tous ceux qui ont contribué à la réalisation de cet ouvrage, de l'exposition dont il rend compte et de toutes les actions culturelles entreprises pour compléter ce programme sur les architectures de terre.

Notre gratitude va d'abord à toutes les personnes qui ont directement participé à cette entreprise internationale (dont les noms figurent aux génériques des pages 2 à 4), aux architectes (énumérés page 192) et aux 90 auteurs des photographies (cités dans les légendes de leurs documents).

Notre reconnaissance s'exprime ici aussi à l'égard des bâtisseurs anonymes qui, quotidiennement, assurent à travers le monde la vitalité des architectures populaires et à tous ceux qui œuvrent pour le renouvellement de ces modes de construction en terre.

Nos remerciements s'adressent finalement aux personnes ou aux institutions qui ont contribué, d'une façon ou d'une autre, à encourager ou faciliter la réalisation de ce projet, et notamment :

en Allemagne Fédérale : Eike Haberland, Hilmar Hoffmann, Heinrich Klotz, Gernot Lucas, Gernot Minke, Mme Striedter, Peter Weiermair;

en Grande-Bretagne : Antoine L. Crosby, M. Etherton, Roland Gelett, M. Hardy, John Turner;

en Arabie Saoudite : Muhammed S. Al Kahtani;

en Australie : Andy Crisp, John Holt, Architecture and Design Committee of the Australia Council (Department of Foreign Affairs), M. Mitchell, M. Woodward;

en Belgique : Philippe Gilain, Michel Meert, Xavier Nuttin, Suzanne Vervaelcke, Marc Wolf;

en Chine : Zhang Kaiji;

aux États-Unis : P. G. Mc Henry, Rick Homans, Jerome Iowa, Mike Weber;

en France : Jean-Michel Arnold, M. Babic, M. Bayan, Rida Behi, Gaëlle Bernard et « l'Atelier des enfants », Claude Beurret, Patrick Boccard, M. Boutin, Jean-Louis Brahem, Teri When Damish, Anne Daniels, Madeleine Dumage, Guy Durier, M. Farnoux, M. Fleury, Louis-Michel Gohel, Georges Jeanclos, Yvette Katan, Titouan Lamazou, Robert Lion, Yvan Lohner, François Loyer, M. Paufique, Arielle Rousselle, Hugo Sada, M. Stanimirovic, Wolf Tochterman;

en Italie : Dorothea Balluff;

au Maroc : Moulay Ahmed Alaoui, Patrice de Mazières, M. Ben Ghabrit, M. Guibert, Jean Hensens, A. Sijelmassi;

en Suisse : Pierre Barde, Marc Nerfin, Vision-Habitat.

INDEX ICONOGRAPHIQUE DES ARCHITECTES OU INGÉNIEURS
par ordre alphabétique,
le numéro renvoyant à la page

INDEX ICONOGRAPHIQUE DES PAYS
par ordre alphabétique,
le numéro renvoyant à la page

A tous les photographes, architectes et ingénieurs dont les travaux sont publiés dans cet ouvrage, nous exprimons nos plus vifs remerciements.

© Centre Georges Pompidou/CCI
N° d'éditeur : 260.
ISBN : 2-85850-109-2.
Dépôt légal du 4ᵉ trimestre 1981.

Achevé d'imprimer le 26 octobre 1981
sur les presses
de l'Imprimerie moderne du Lion, Paris.

Retirage : janvier 1982.